たった3分間の

美しい写真で
たどる
科学の
教養

すごい世界

The Amazing World of Just

3min

Exploring Science Education with Beautiful Photograph

えほんの杜

人間はなぜ3分間にこだわるのか?

ボクシングの1ラウンドは3分間。

ウルトラマンが地上で戦える時間は3分間。

ラジオ体操の第一、第二の長さは3分間。

さらには3分間クッキングに3分間スピーチ。

お湯を入れてから、カップ麺が完成するまでの定番時間も3分間。

人間の周辺には、どういうわけか「3分間」という
時間の単位が溢れている。

かつて1分間で完成するカップ麺があったという。
だが、3分間待った後に食べるカップ麺の人気を
超えることはなかった。

1分間では、何かを完成させるには「短すぎる」と感じ、
不安を覚える人が多かった、といわれている。
だが、5分間では長すぎてイライラしてしまう。

どうやら人間は、3分間を待つことによって、
空腹感が増し、より美味しく感じられるようだ。
「3分間」は人間にとって、
ちょうどいい時間なのかもしれない。

まだ科学的に立証は成されていないが、
人間の奥底には「3分間」の単位が
「なにかを成し遂げるための最小単位」として
本能に刻み込まれている、と考える研究者も少なくない。

Prologue

ボクシングのように、極限状態で戦うときに
耐えられるリミットも3分間だが、
観戦している観客の集中力が持続するのも3分間だという。

自分の「思い」や「考え」を伝えるときも、
1分や2分では短すぎるが、4分や5分では長すぎる。
その思いを聞く側の人間にとっても
本気で集中して聞けるのは3分間が限界、
という説がある。

人間にとって、なにかと縁がある3分間。

本書ではそんな「3分間」の可能性に迫るべく、
地球上で起きている森羅万象を3分間の「窓」から覗いてみた。

3分間の「窓」からは驚くべき真実が見えた！

CONTENTS

距離と速度に関する3分間
~ 3min related to Distance and Speed ~

Welcome to
The Amazing World of Just
＼ 3min ／

世界で最も有名な時計塔といえば、ロンドンのビッグベン。
イギリスの国会議事堂であるウェストミンスター宮殿の一角にあり、
1日の誤差1秒以内という正確さで時を告げている

数と量に関する3分間

IPトラフィック、ロボットの最前線から
人間の細胞や生死、地球環境の現実まで、
数や量ではかることができる、
たった3分間のすごい世界。
つねに変わり続ける世界を実感してほしい。

3min rela

Number a

ted to
nd Amount

Preparation
準備

「数」と「量」と「単位」の
はなし

数とはなにか?

「1つ」「2つ」と数える
ことができる、個数及
び人数を表す概念。

量とはなにか?

大小、多少、重軽など、
比較することが可能な
概念。

「量」は「1」や「2」などの数
字だけでは表現ができないた
め、「数字」の後に単位が付属
することによって「量」になる
と考えることができる。

質量とはなにか?

質量は重力がある地球
上でも、無重力の宇宙
でも変わることはない。

重さとはなにか?

物体に作用する重力
の大きさ。地球上と月
面では重さは変わる。

地球上で質量60キログラムの
人間が月へ行くと、重力が地
球の1/6なので重さは軽くな
る。ちなみに無重力の宇宙空
間では重さはほぼゼロになる

#001　石油の単位

関連ページ 024など

▶ **バレル／barrel**　　単位記号 **bbl.**

- **1** bbl. (バレル) = **0.159** キロリットル
- **1** キロリットル = **6.289** bbl. (バレル)

液体の量や体積を表す単位だが、
主に原油や石油関連の計量で用
いられることが多い。バレルの語
源は「樽」で、かつて石油を樽
に入れて運搬していたことが由来
だといわれている。

#002　情報量の単位

 関連ページ 016

- ▶ **ビット/bit** 　単位記号 **b**
- ▶ **バイト/byte** 　単位記号 **B**
- ▶ **キロバイト** 　単位記号 **KB**
- ▶ **メガバイト** 　単位記号 **MB**

- ▶ **ギガバイト** 　単位記号 **GB**
- ▶ **テラバイト** 　単位記号 **TB**
- ▶ **ペタバイト** 　単位記号 **PB**
- ▶ **エクサバイト** 　単位記号 **EB**

- 8b(ビット) = 1B(バイト)
- 1B(バイト) × 1024 = 1KB(キロバイト)
- 1KB(キロバイト) × 1024 = 1MB(メガバイト)
- 1MB(メガバイト) × 1024 = 1GB(ギガバイト)
- 1GB × 1024 = 1TB(テラバイト)

- 1B(バイト) = 8b(ビット)
- 1KB(キロバイト) = 1024B(バイト)
- 1MB(メガバイト) = 1024KB(キロバイト)/約100万B
- 1GB(ギガバイト) = 1024MB(メガバイト)/約10億B
- 1TB(テラバイト) = 1024GB(ギガバイト)/約1兆B

コンピュータのデータ量の最小単位は1bit(ビット)。コンピュータで扱う情報はすべて2進数で処理されている。1ビットの8倍が1バイト。1バイトの2の10乗が1キロバイト。2の10乗は1024。

そして現代は 1B(バイト) × 1000兆 = **1PB**(ペタバイト) 1B(バイト) × 100京 = **1EB**(エクサバイト)

#003　電気の単位

 関連ページ 042など

- ▶ **ボルト** 　単位記号 **V**
- ▶ **アンペア** 　単位記号 **A**
- ▶ **ワット** 　単位記号 **W**
- ▶ **ワットアワー** 　単位記号 **Wh**

- 電力(W) = 電圧(V) × 電流(A)
- 電力量(Wh) = 電力(W) × 時間(h)

ボルト(V)とは電気を押し出す力。つまり電圧のこと。電圧が高いほど多くの電気が流れる。アンペア(A)は、電気が流れる量。ワット(W)は、電気が仕事をする力のこと。そしてワットアワー(Wh)は、電気の使用量を表す単位。ワットに時間を掛けることによって計算できる。

QUESTION

地球上では3分間で
どれくらいのデータが
飛び交っているのか

ANSWER

333ペタバイト

333ペタバイト＝333,000,000,000,000,000バイト

Society 5.0という未来

「21世紀の石油」とも言われるデータ。
その影響力が甚大なのは周知の事実だが、今後さらに、
社会や国、個人の在り方を根本から変革していくかもしれない。

3 minutes ✕ データ通信

世界のIPトラフィック（データ流通量）は、急激なデジタル化の進展とともに、爆発的に増加している。2020年と比較した場合、2030年は30倍以上、2050年は4000倍に達するという予測すら出ている。その一方で、古式ゆかしい手紙の取扱量は減少の一途を辿っている。

1984年には毎月17ギガバイトしか使われていなかったIPトラフィックが、今や3分間で333ペタバイトも使われている。その量が1バイトの1000兆倍であるペタバイトや、100京倍であるエクサバイトといった恐ろしく巨大な単位にまで膨れ上がっている現状を見る限り、データ通信は現代人にとって決して欠かせない必須ツールと言い切って間違いなさそうだ。

info　Society 5.0は目指すべき未来社会の姿

Society 5.0は、これからの社会が目指すべき姿として、2016年に日本政府が提唱した概念。「サイバー空間（仮想空間）とフィジカル空間（現実空間）を高度に融合させたシステムで、現在の情報社会＝Society 4.0が抱える課題を克服し、経済発展と社会的課題の解決を両立する人間中心の社会を目指す。

人間社会の推移

 Society 1.0 狩猟社会　»　 Society 2.0 農耕社会

 Society 4.0 情報社会　«　 Society 3.0 工業社会

 Society 5.0 創造社会

現在、政府が国家戦略として取り組んでいるSDGsは、Society 5.0と深い関係がある。SDGsは2030年までに持続可能で多様性と包摂性のある社会を実現させるための国際社会の共通目標。貧困・飢餓、教育、環境、健康・福祉、ジェンダー平等など、世界共通の社会課題の解決を目標としている。そして、SDGsを実践する上での戦略こそがSociety 5.0なのだ。

Society4.0→Society5.0

知識や情報の共有や連携が不十分	地域の過疎や少子高齢化の問題
↓	↓
IoTが人とモノを繋げて新価値を創造	イノベーションで様々なニーズに対応
情報の探索や分析作業が負担	年齢や障害などによる制約
↓	↓
AIが必要な情報を必要な時に提供	ロボットなどが制約を解消し可能性を拡大

Society 5.0を支える5大テクノロジー

ビッグデータ

人間では全体把握が難しい膨大なデータ群のこと。Volume（量）、Variety（多様性）、Velocity（速度あるいは頻度）の「3つのV」を高い次元で備えていることが特徴で、Society 5.0では、ビッグデータ同士を連携し、新たな解決策や技術革新を生むことを目標としている。

IoT

Internet of Thingsの略で、日本語では「モノのインターネット」と呼ばれる。センサーや機器、住宅、車、家電製品などのモノがインターネットに接続され、モノ同士が相互に情報交換できる仕組みで、代表的な機能としては、スマホなどのデバイスから行うモノの遠隔操作が挙げられる。ビッグデータの収集・分析・モニタリングなどが容易になると同時に省人化もできるため、Society 5.0では人材不足の解決に繋がるとされている。

5G

IoTなど多くのデバイスからの膨大な情報を、離れた場所からでもリアルタイムに通信できるテクノロジーで、高速大容量、高信頼・低遅延通信、多数同時接続などの特徴がある。人口減少が進む地方の山間地域などの幅広い課題にも活用できるなど、Society 5.0では必要不可欠なインフラ技術と考えられている。

AI

情報処理、計算、記憶などが得意な人工知能。すでに多方面で大活躍しているが、2022年のChatGPTのリリースで、ますます身近になりつつある。Society 5.0においては、IoTが収集した膨大なビッグデータを分析し、最適解を導き出し、様々な社会課題の解決に役立てる役割を期待されている。

ロボット

Society 5.0ではAIで得られたフィードバックを現実空間で運用する役割を担う。今までは操作に人が介してきたが、Society 5.0ではロボットが自ら考え、自動で動くようになるため、人材不足の解決策にもなる。

Society 5.0で変わる未来予想図

交通

それぞれの移動手段が収集するビッグデータの解析で、最適なルートを提示し、天気や道路の混雑状況に応じた計画を提案。カーシェアや公共交通を組み合わせたスムーズな移動、自動走行による安全な移動が可能になれば、CO2排出量の削減や事故防止にも繋がる。

ものづくり

消費者ニーズや在庫・配送情報を解析すれば、柔軟な生産計画が可能になる。工場でロボットを活用すれば、熟練技術の継承や生産性向上、省人化が期待できる。物流では、異業種間の協力配送やトラックの隊列走行などで効率化を実現。人手不足を解消し、温室効果ガスも削減できる。

食品

アレルギーや食品の情報、各家庭の冷蔵庫の在庫情報、店舗や市場の情報といったビッグデータで、冷蔵庫管理の自動化、アレルギーや個人の嗜好に合わせた食品の提案、ニーズに合わせた生産・発注が可能に。フードロスの削減や産業の競争力強化に繋がる。

医療

個人の計測データや医療情報などのビッグデータ解析で、リアルタイムでの自動健康診断が可能になるため、病気の早期発見や健康促進に繋がる。また、医療や介護の現場でロボットが活躍すれば、従事者の負担が軽減され、人材不足や社会的コストの削減などの課題が解決される。

農業

ロボットトラクターによる農作業の自動化、ドローンによる生育情報の収集、天候予測に合わせた作業計画などが可能になる。さらに、気象や農作物の情報、食のトレンドや消費者ニーズなどのビッグデータをAIが解析することで、超省力で高生産のスマート農業が実現する。

ドローンによる農薬散布はスマート農業の先駆

QUESTION

人間の赤血球は
3分間でどれくらい
作られているのか

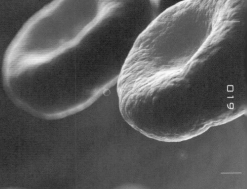

ANSWER

1秒間で200万個、
3分間で3億6000万個の
赤血球が作り出されている

全血液中に赤血球は
約25兆個あるといわれている

血液成分の一種類である赤血球は、
血管内で約120日間働いた後「肝臓」「脾臓」で生涯を終える。

3 minutes ✕ 赤血球

人間の血液は「赤血球」「白血球」「血小板」と呼ばれる血球成分と、「血しょう」と呼ばれる成分で構成されている。血球成分は全血液の45%、血しょう成分は55%。

血液の量は体重の約8%を占めており、赤血球は血液中に約25兆個も存在している。そして25兆個の赤血球は常に新旧が入れ替わっている。

赤血球は「骨髄」で作られており、1秒間で約200万個、3分間で約3億6000万個が製造され続けている。

骨髄で作られた赤血球は血管内で仕事をして、肝臓や脾臓、リンパ組織内で破壊される。ひとつの赤血球は100〜120日で寿命をむかえる。

血液は

赤血球・白血球・血小板・血しょう

などで
構成されている！

info 血液の役割と赤血球の役割

血液は酸素や栄養素、老廃物を体内で運ぶ働きを担っている。そして外部から侵入してくる菌やウイルスから身体を守り、熱や酸、アルカリのバランスを調整している。

そんな血液の仕事の中で、赤血球が主に担当しているのが、酸素の運搬。

赤血球の中にはヘモグロビンというタンパク質が含まれている。赤血球はこのヘモグロビンに酸素を結合させて全身に届けている。

貧血は赤血球に含まれるヘモグロビン濃度が低下した状態。さらにヘモグロビンが低下すると、酸素を運ぶ能力が低下するため、動悸や息切れ、頭痛、めまい、倦怠感の原因にもなってしまう。

逆に血液の量が増えすぎると、血液の粘度が高くなり、脳の血流がスムーズに回らなくなり、めまい、耳鳴り、頭痛の原因になることがある。

白血球の役割

主に免疫関係の仕事を担っている。ウイルスなどから身体を防御する大切な役割。

血小板の役割

血小板は傷ついた血管部位に集まる習性があり、止血の役割を担っている。

血しょうの役割

血しょうの91％は水分。酸素を運搬し、老廃物を肺や腎臓に運んでいる。

info　　　血液が赤い理由

赤血球に含まれているヘモグロビンは、酸素と結合することによって、酸素を全身に運搬している。酸素と結合したヘモグロビンは鮮やかな赤色になる。人間の血液が赤いのはそのため。

血液は赤いのに、手首に透けて見える血管が青く見えるのはなぜか？　それには理由がある。

動脈を流れている血液は酸素を全身に届ける必要があるため、酸素濃度が濃い。そのため鮮やかな赤い色をしている。

一方、静脈は二酸化炭素などの老廃物を運び出す役割があるため、酸素濃度が少なく二酸化炭素が多く含まれている。そのため動脈を流れる血液よりも青く見えると考えられている。

info　　　青い血液もある

人間のような脊椎動物の血液は赤いが、イカやタコのような軟体動物や、ザリガニやクモのような節足動物には青い血液の生物も存在する。

青い血液の正体はヘモシアニンという銅タンパク質。人間の赤血球の中に含まれているヘモグロビンが酸素を運ぶように、

ヘモシアニンも酸素を運ぶ役割を担っている。

ヘモシアニンは生物進化のカギを握る貴重なタンパク質と考えられており、人間の免疫機能を活性化させる効果が期待されているため、医薬品へ応用する研究が進んでいる。

青い血液の生き物たち

＼ イカ ／	＼ カタツムリ ／	＼ カニ ／	＼ タコ ／	＼ タランチュラ ／

電気は3分間でどれくらい発電されて、どれくらい消費されるのか

ANSWER

約1億5000万kWhの電力が作られて、
約1億2000万kWhの電力が消費されている

約1億5000万kWhは具体的にどれくらいの電力なのか？

発電と消費電力

世界の電力の約61%が、
地球温暖化を促進させる火力発電によって作り出されている。

3 minutes ✕ 電気

3分間で作られている世界の電気量は、おおよそ1億5000万kWh。この電力は真夏の日本で、全国民が1日に使用している電気量に近いといわれている。3分間で作り出した世界中の電力を、日本が1日で使い切る。このバランスが正常なのか？　その判断は難しいが、この世界には明確な電力格差が存在しているのは事実。

日本人が2時間テレビを観る電力があれば、ケニア人ひとりの1日分の電力をまかなうことができる。日本人がドライヤーを1回使う電力があれば、ガボン人ひとりの1日分の電力をまかなうことができる。

電力の恩恵を受けている地域には格差があるが、火力発電によって促進される温暖化の弊害は、全人類はもちろんのこと、地球で生活する全ての生き物に平等に及んでしまう。

info　　世界の発電方法

現在の発電の約61%が火力発電。火力発電の燃料は主に天然ガス、石炭、石油。このまま使い続けると、天然ガスと石油は約50年、石炭は約100年で枯渇してしまうといわれている。そこで注目されているのが再生可能エネルギー。

再生可能な発電方法

バイオマス発電	水素発電	アンモニア発電	海洋エネルギー発電
バイオマスはbio（生物資源）とmass（量）を組み合わせた言葉で、太陽エネルギーに育てられた、さまざまな生物に蓄積された有機物資源のこと。バイオマス発電では、生物資源を直接燃焼したりガス化することによって発電する。	水素を燃やして発生した蒸気でタービンを回転させて発電を行う。通常の火力発電の燃料を水素にした発電方法。水素は燃やしても二酸化炭素が発生しないため環境にも優しいが、コストがかかることが問題。	アンモニアを燃やして発電する方法。水素と同じように火力発電の新エネルギーとして注目されている。発電時には二酸化炭素は発生しないが、製造過程で多くの二酸化炭素を排出してしまう問題がある。	波、潮位変化、潮流、海の温度差、塩分濃度の違いなどを利用して電気を作る発電方法。世界的に注目されている発電方法で研究も進んでいる。一方、発電施設を洋上に設置することによる、海洋環境を懸念する意見もある。

info　　世界に広がる電力格差

　世界で3分間に発電した電力を真夏の1日で使い切る日本だが、世界では電気が供給されていない地域で生活をしている人たちが約13億人いるといわれている。この人数は世界の人口の約20%で、5人にひとりが電気のない生活を送っている。

　二酸化炭素排出など、地球規模の深刻な課題を抱えている発電方法で作り出された電気を、限られた地域の人たちで使っているのが、世界の電力事情の現実。

世界では電気のない暮らしをしている人たちがこんなにいる

中東地域
約**1900**万人

南アメリカ地域
約**2400**万人

中～南部アフリカ地域
約**5億9900**万人

アジアの発展途上地域
約**6億1500**万人

info　　電気の歴史

　エレクトリックという電気の語源は、ギリシャ語の「エレクトロン」という「琥珀」を意味する言葉に由来している。人類が電気を最初に認識したのは紀元前600年のギリシャだったと考えられている。哲学者タレスが琥珀を布でこすった際に、糸くずがくっついたことを記録に残した。この時に発見した静電気が電気と人類の最初の出会いだといわれている。

　その後1752年にアメリカの科学者フランクリンが雷の電力をライデン瓶の中に貯めて火花を散らす実験に成功。電気の存在が本格的に人類に認識された。その半世紀後、イタリアの物理学者ボルタが世界初の電池の製造に成功。

　その後も様々な科学者の探究により、電気は扱いやすい存在になっていった。そして1879年トーマス・エジソンが白熱電球を発明。電気が人々の生活に活用される時代が幕を開けた。

白熱電球の発明により、電気を人々の生活に根付かせたトーマス・エジソン

QUESTION

地球の氷床は
3分間でどれくらい
溶けているのか

027

ANSWER

総重量600万トンと推定されるギザの大ピラミッド約6個分

1年で650億トン、3分間で3750万トンの極域氷床が溶ける

溶けてゆく氷

地球上の氷は、南極に89%、グリーンランドに9%、
その他の氷床に1%、永久凍土に1%、海氷に0.1%存在している。

3 minutes　×　氷

　3分間で3750万トンというハイペースで地球の氷床や氷河が溶け続けている。1992年から2020年までの28年間だけで、8兆3000億トン以上が融解した。

　その中でも、融解の規模が最も大きかったのは2019年で、その1年だけで約6750億トンの氷床が消え失せた。この年は北極における気温上昇が一段と激しく、グリーンランドの氷床が4890億トン失われ、海面が21ミリも押し上げられた。

　最も厚い部分で富士山より高い4500メートルに達する南極の氷床の融解ペースも、ここのところ急速にアップしている。もしも、南極の氷床が全て溶けた場合、海面は40〜60メートル上昇する。現在、南極域で最も大規模な融解を起こしているのは、南極半島と南極西部で、そのエリアにあるスウェイツ氷河は、崩壊したら壊滅的な海面上昇をもたらす「終末の氷河」として知られている。

info　上がり続ける地球の気温

　氷床融解の原因は、より温かい海水が氷床近くに浸入することによる海洋の問題、より温かい空気が流れ込むことによる大気の問題という2種類に大別される。つまり、どちらも地球温暖化に伴う気温の上昇が主因だ。地球の気温が上がったことで、

世界の平均気温の上昇率

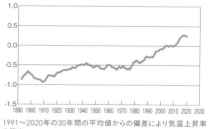

1991〜2020年の30年間の平均値からの偏差により気温上昇率を算出

氷床融解は過去30年で6倍の規模にまで拡大した。

　世界の平均気温は、100年あたり0.74℃の割合で上昇。日本だけに絞ると、100年あたり1.30℃の上昇となり、世界の平均上昇率より高くなっている。

info　2100年には日本の砂浜の9割が消滅!?

　現在の世界の海面上昇は、全体の4分の1が氷床融解が原因と見られ、その比率は1990年代から5倍に増えている。このまま温暖化と氷床融解が進行した場合、2100年には海面が約1メートル上昇し、移住を迫られる水没難民が3億人に達するという試算も出ている。

　海面上昇による島国・日本への影響は甚大になるだろう。日本の海面が30センチ上昇すると半分の砂浜が消滅。1メートル上昇すると、9割以上が失われるという予測が出ている。さらに、東京、大阪、名古屋、福岡、札幌など大都市での浸水被害のリスクも飛躍的に上がる可能性がある。なお、日本近海の海面水温の上昇率は、現時点で世界平均の2倍以上。

info　温暖化の時限爆弾とは？

永久凍土
地中温度が常に0℃以下の土地のこと。シベリアやアラスカなど、寒さの厳しい限られた地域にしか存在しないと思われがちだが、地球上の陸地の約14％ほどが永久凍土帯と呼ばれている。

　約2万年前の氷河期の頃から凍っていると考えられている永久凍土。長期間にわたって凍結されていた土壌には、大量のメタンや二酸化炭素などの温室効果ガスが閉じ込められている。そのため、凍土融解でそれらのガスが大気中に放出されると、さらなる温暖化の加速が懸念されることから、永久凍土は「温暖化の時限爆弾」と呼ばれている。

　日本の富士山、大雪山、立山にも永久凍土が存在している。さらに気象情報の分析により、北海道の複数の山岳と北アルプス、南アルプスにも、永久凍土があるかもしれないことが判明した。万が一、富士山の山頂周辺にある永久凍土が融解した場合、山の侵食が進み、富士山の姿形が変わったり、土石流の増加や大規模化が予想される。

世界では3分間に
どれくらいの食べ物が
廃棄されているのか

ANSWER

約1万3998トン
世界で栽培&生産された
全食糧の40パーセントを廃棄

1日だと約684万トン、
1年だと約25億トンの食料が廃棄されている

世界の食糧事情

全人類が飢えない分の食料は生産されているが、
世界では10人に1人が飢餓状態にある。

3 minutes ✕ 食料廃棄

人間が3分間スピーチで約900文字の言葉を話している間に、世界ではおおよそ1万3998トンの食料が廃棄されている。3分間で廃棄される食料をドラム缶に入れると約67.5缶分。この量は単なる食料廃棄問題にとどまらず、さまざまな無駄と密接に関係している。

例えば牛肉を113グラム使用するハンバーガーがあったとする。そのハンバーガーを1個作るために必要な水は平均1695リットルだといわれている。仮に3分間で廃棄される食料がすべてハンバーガーだった場合(実際には違うが)、3分間で約1億2387万個のハンバーガーが廃棄されていることになる。1億2387万個のハンバーガーを作るのに必要な水は、おおよそ2099億リットル。実際には廃棄される食料の全てがハンバーガーではないので、この数字は現実的ではないが、廃棄される食料とともに、さまざまな物が一緒に無駄にされていることは間違いない。

そして世界は3分で1万3998トンの食料を廃棄しながら、同時に3分間で約50人が「飢え」が理由で亡くなっている現実がある。

---

info　20億人分の食料を廃棄する一方で 10人に1人が飢餓で苦しむ矛盾

2023年現在、世界の人口は約80億人。地球上で栽培&生産している食料を無駄なく平等に分配することができれば、地球の全人類が十分に食べられる食料は確保できているという研究データがある。

だが現実は約8億2800万人、おおよそ10人に1人が深刻な飢餓状態で苦しんでいる。十分な食事をとることができずに、栄養面に問題を抱えている人まで含めると、約31億人が食の問題にさらされている。

飢餓に苦しむ人たちに向けて世界では年間約420万トンの食料援助がおこなわれているが、日本だけでも年間約600万トンの食料が廃棄されている。先進国では食料が廃棄されて、発展途上国では食べ物が不足して飢えに苦しんでいる。

地球という星を暗く包み込む食の不均衡を解決できれば、飢えが原因で亡くなってしまう不幸を少しでも減らすことができる。

食品ロスとゴミ問題

世界では1年間で約21億トンのゴミが出ている。
3分間ではおおよそ1万2000トン

3分間で出た約1万2000トンのゴミのうち、リサイクルされているゴミは約16%しかない。ゴミのなかでも自然分解されないプラスチックゴミの問題は特に深刻。

▼

プラスチックゴミの問題は深刻

世界で1年間に生産されるプラスチック製品

約**3億6700万トン**

世界で1年間に発生しているプラスチックゴミの量

約**3億5300万トン**

プラスチックゴミの種類

1 位 食品包装
2 位 プラスチック容器
3 位 レジ袋
4 位 ストロー
5 位 ペットボトル

経済的に豊かな国で発生したゴミが、経済的に貧しい国に辿り着くことがある。とある国には東京ドーム30個分の広さを超えるゴミの山があり、そこには日本から辿り着いたゴミも捨てられているという。経済的に豊かな国から貧しい国へ、食料の流通はうまく機能しないが、ゴミだけは貧しい国へ辿り着く悲しい現実がある。

info

一度広がると排除することが難しいマイクロプラスチック

　一般的に5ミリ以下のプラスチックゴミをマイクロプラスチックゴミと呼ぶ。海中を中心に広がっているマイクロプラスチックゴミは、海洋生物の生態系を破壊している。消化が難しいマイクロプラスチックを誤飲した海洋生物が、消化不全や胃潰瘍をおこし死に至ることがある。

　また、とある研究チームの調査によると、食塩の9割にマイクロプラスチックが含まれていることが判明した。さらに深海6000メートルに生息する新種のエビの体内からマイクロプラスチックが検出されたこともある。

QUESTION

雨は3分間で
地球上にどれくらい
降るのか

ANSWER

東京ドーム117個分の
約7億5600万トン

地球上の年降水総量は約577千k㎡、
陸上の年降水総量は約119千k㎡

変容する雨模様

雨は、少なすぎると水不足や干ばつになって水ストレスの
原因となり、多すぎると洪水などの水難リスクを引き上げる。
地球規模での雨量の偏りが生物に与える影響は計りしれない。

3 minutes × 雨

「雨は神からの贈り物であり、それが途絶えるのは神の罰である」という考えのもと、太古の昔から世界中で「雨乞い」が行われてきた。日照りが続いた時に、神の注意を引いたり、喜ばせたり、怒らせたり、同情を買ったりして、雨が降るように祈ってきたのだ。

そんな恵みの雨だが、日本では気象庁が1976年から2022年の大雨回数を集計分析した結果、1980年頃と比較して、ここ10年間の大雨の発生頻度が約2倍に増加していることが分かった。しかも、より強度の強い大雨ほど増加率が大きくなっている。

その一方で、年間の降水量は減少傾向にある。つまり、地球上では3分間で7億5600万トンも降っているのに、日本では「降らない時は全く降らないのに、降る時は大量に降る」という、いびつな降雨の構図になりつつある。

---

info　変容の主な原因は地球温暖化

大雨が増えている背景には、地球温暖化がある。そもそも、雨は空気中に含まれる水蒸気が冷やされて水になり落下したもの。だから、気温の上昇で大気中の水蒸気が増えると、その分だけ雨量が増え、大雨の頻度も増えていくのだ。

今後も温暖化が進み、地球の気温が2℃上昇した場合、日本の降水量は約1.1倍になり、洪水が起きる確率は約2倍になると予測されている。

実際に、全世界を気候別に45のエリアに分類すると、近年は高温地域が41エリアに達し、大雨はアジアや欧州などの19エリア、干ばつはアフリカなど12のエリアで増加したことが分かっている。また日本を含む東アジアで猛暑日や豪雨、干ばつなどの増加が報告されている。

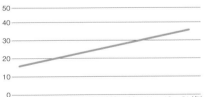

3時間の降水量150ミリ以上
日本における平均発生回数の推移

確実に増えている異常な雨

ゲリラ
豪雨

▶ 急に強く降り、数十分の短時間で狭い範囲に数十ミリ程度の雨量をもたらす雨で、正式名称は局地的大雨。かつては夕立と呼ばれていた。規模が小さく、突発的かつ散発的に起こるため、事前に予測することが難しい。また、ヒートアイランド現象で発生しやすくなるため都市部に多い。

線状
降水帯

▶ 複数の積乱雲が組織化した長さ50〜300キロメートル、幅20〜50キロメートルの雨域のこと。同じような場所で数時間にわたって強く降り、100〜数百ミリの雨をもたらす集中豪雨の原因になる。風上の積乱雲が風下に移動している間に、風上で次々と新たな積乱雲が生まれるバックビルディング現象で発生する。

水不足はなぜ起こるのか？　水資源という問題

**水需要の
増加**

世界人口の増加は、すなわち水使用量の増加を意味する。水需要は2000年から2050年の間に、工業用水で400％増、発電で140％増、生活用水で30％増となり、全体としては55％増が見込まれる。さらに、深刻な水不足に見舞われる河川流域の人口は、2050年に世界人口の40％以上となる39億人に達する可能性もあると予想されている。

気候変動

水資源として利用可能な水の量は、降水量の変動で絶えず変化している。そのため、大雨や干ばつなどの異常気象を引き起こす地球温暖化による気候変動の影響は甚大だ。今世紀末までに、高緯度域と太平洋赤道域では降水量の増加、中緯度と亜熱帯の乾燥地帯では降水量の減少が予測されており、今よりさらに地域差が激しくなりそうだ。

水紛争

島国に住む日本人にはピンと来ないかもしれないが、大陸に住む人々はいつの時代も水をめぐって争いを繰り返してきた。水紛争の主な原因は、上流地域での過剰取水による水資源配分の問題、上流地域での汚染物質排出などによる水質汚濁の問題、水の所有権の問題、水資源開発とその配分の問題など様々だ。

ANSWER

約1万8000回

地球上では、毎秒40〜100回の落雷が起こっている

QUESTION

雷は3分間で地球上にどれくらい発生するのか

直撃を受けた場合の致死率は驚異の70〜90%。
落雷による死者数が世界最多のインドでは、
毎年3000人近い人々が犠牲になっている。

3 minutes ✕ 雷

3分間に約1万8000回も発生し、時に人の命を奪うほど破壊的な雷は、古来から人知の及ばない神の領域とされてきた。その証拠に雷の語源は「神鳴り」であり、いかづちの語源は「厳つ霊」である。日本神話における代表的な雷神・タケミカヅチ（建雷命、建御雷）は天津神の1柱だし、菅原道真は天神（雷の神）として知られている。また、盛大に太鼓（雷鼓）を打ち鳴らしながら、ヘソを奪いにくる雷さまとしても親しまれている。

こういった考え方は日本だけにとどまらない。ギリシャ神話のゼウス、ローマ神話のジュピター、バラモン教のインドラは雷神であり、最高神として広く崇められてきた他、必ずと言っていいほど、世界各地の神話には雷の神が登場する。

そんな雷だが、近年は継続的な観測や研究の結果、科学的に解明されつつある。さらに、その莫大なエネルギーを人間がコントロールし、利用しようとする動きまで見られる。やがて人間が神をもねじ伏せる日がやってくるのだろうか？

info 落雷1回のエネルギー量は一般家庭の3〜10日分の電気と同じ

1回の落雷の平均的な電力量は約33〜83kWh。一般的な一軒家の1か月の消費電力は350kWhぐらいなため、雷1発で3〜10日分ぐらいの電気をまかなえる計算になる。となれば、誰もが考えるのは、雷によ

って発生する電力の有効活用。

これまで雷発電の研究は盛んに行われてきたが、いまだ実用化には程遠い状況にある。ネックになっているのは、エネルギーの大半が稲妻や雷鳴、熱として放出されてしまうため、効率よく電力を溜められないこと、どこに落ちるか予測できないこと、膨大なエネルギーを受けとめられる蓄電設備の開発が難しいことなど。

確かにハードルは高いが、太陽光や風力など自然由来の再生可能エネルギーへの転換が求められている今、雷エネルギーへの注目度は増すばかりだ。

知っているようで 知らない 雷トリビア

Q1 雷はなぜ光るのか?

A 雷が溜め込んだ電気が、火花放電するから。火花放電とは、2電極間の電圧がある限界値を超えた時に、瞬間的に大きな電流が流れ、火花と音を伴った放電が生じる現象のこと。雷の場合、雲の中で集められた(-)電子が、(+)に向かって無理やり移動する時に、空気中の電子のバランスが崩れ、火花放電が生じる。

Q2 雷はなぜゴロゴロと鳴るのか?

A 雷のエネルギーは、あまりにも巨大すぎるため、本来は絶縁体である空気に絶縁破壊を起こし、地面に到達しようとする。その際、空気の温度は太陽の表面温度の約4倍近い約3万℃まで一瞬にして熱せられるため、圧力が高まって一気に膨張することになる。その衝撃が周囲の空気を振動させ、お馴染みのゴロゴロ音になるのだ。

Q3 雷はなぜ高いところに落ちるのか?

A 高いところに(+)の電子が集まっているから。雲の中で集められた(-)電子は、雲の下の方に集まる。そこから地上の高いところにある(+)に向かおうとするため、そこに雷の通り道ができる。

Q4 稲妻はなぜジグザグに落ちるのか?

A 雷が雲と地上の間の通り道を流れる時、イオン化の進んだところや湿気が多いところなど、空気中の電気の通りやすい場所を探しながら進んでいく。そのため、直線ではなく、ジグザグに落ちていくように見える。

Q5 雷は光るのと鳴るのどっちが早いのか?

A まず光ってから鳴る。雷が光った後でゴロゴロ鳴るのは、音よりも光の方が空気中を伝わるスピードがずっと速いから。音が秒速340メートルなのに対し、光はなんと秒速30万キロメートル。約100万倍ものスピード差がある。

Q6 イナズマはなぜ稲妻と書くのか?

A 雷の放電現象は、空気中の酸素や窒素をイオン化する。そして、それらのイオンが雨に溶け込んで地上に降り注ぐと、良質な天然の肥料になる。つまり、雷が多い年は豊作になるため、イナズマはいつしか親しみを込めて「稲の妻」と呼ばれるようになった。

Q7 上にのぼる雷があるのは本当か?

A その正体は冬に頻発する冬季雷。非常に珍しく、世界的に見ても日本の日本海沿岸とノルウェー西岸でしか発生しない。また、雷雲上空の高高度にスプライトと呼ばれる巨大な閃光が発生することもある。アフリカ上空に多く、100分の1秒ほどであっという間に消えてしまうが、満月よりも明るく光るため、目撃談は少なくない。

QUESTION

世界では3分間で
何人生まれ、
何人死ぬのか

ANSWER

810人が生まれ、333人が死ぬ

年間の出生数は1億4245万人、
死亡数は5852万人になる

人間の生死

永遠に老いず、永遠に死なない。現代の科学が
「不老不死」を実現する未来はやってくるだろうか？
そして、人類はそれを受け入れるのだろうか？

3 minutes ✕ 生死

「一つの命が生まれる確率は、1億円の宝くじが100万回連続して当たることに匹敵する」とは、遺伝子工学の世界的権威の言葉。つまり、3分間で810人が誕生する地球に、人間として生まれ落ちることは、まぎれもない奇跡なのだ。さらに細かく見ていくと、先進国に生まれる確率は15%、その中でも日本に生まれる確率はわずか1.5%。

そんなとんでもない奇跡に想いを馳せながら、偉人たちが残した生死にまつわる名言をじっくりと味わってみてほしい。

「明日死ぬかのように生きなさい。永遠に生きるかのように学びなさい（ガンジー）」「生きている兵士の方が、死んだ皇帝よりずっと価値がある（ナポレオン）」、「充実した1日が心地よい眠りをもたらすように、充実した一生は心地よい死をもたらす（レオナルド・ダ・ヴィンチ）」「人は誰もが死ぬ。当たり前のことだ（釈迦）」。

info 出生数＞死亡数の世界

世界人口の変化（予測）

単位：億人

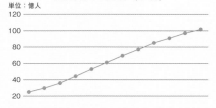

全世界の平均出生率と平均死亡率から割り出すと、この世界では、毎日約39万人が生まれ、約16万人が亡くなっている計算になる。つまり、死ぬ人の2倍以上の人が生まれているのだ。当然、世界人口は増加していくことになる。

近年、その増加スピードは加速する一方で、このまま何の対策もしなければ、そう遠くない未来に、人類は確実に深刻な食糧危機に陥ると考えられている。

地球で養える人口には諸説あるが、おおよそ70〜100億人が限界とされている。2022年11月で世界人口は80億人を突破した。人間は、すでに食糧不足のカウントダウンを始めるべき段階にきている。

様々な理由で命を落とす人々

3分間で **自殺する人** ▼	3分間で **交通事故死する人** ▼	3分間で **餓死する人** ▼
約**4.5**人	約**7.5**人	約**81**人

日本に限った場合、15〜39歳の死因の第1位は自殺。このような状況になっているのは、先進国（G7）では日本だけであり、その死亡率も他の国に比べて、非常に高い水準になっている。

都市部への車両進入を禁止したり、徹底的に事故原因を分析したりなどの自助努力を行う北欧諸国。自動運転技術の開発に勤しむ自動車各社。交通事故死ゼロに近いのは、一体どちらなのだろうか？

餓死者の数は、自殺者の18倍、交通事故死の10.8倍。そして、そのうちの7割が子どもだといわれている。2030年までにSDGsの目標の1つ「飢餓をゼロに」を達成するには、多すぎる数字に思えてしまう。

info 出生数＜死亡数の日本

日本の合計特殊出生率の推移

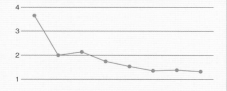

一方、日本では毎日約2140人が生まれ、約4358人が亡くなっている計算になる。つまり、生まれる人の2倍以上の人が死んでいるのだ。少子高齢化が叫ばれて久しいが、単純計算で毎日2218人ずつ人口が減っていくことになる。

なお、1人の女性が生涯で何人の子どもを産むかを割り出した合計特殊出生率は、2022年に過去最低の1.26にまで下がった。そして同じ年の死亡数は、前年から約13万人も増えて過去最多だった。

ちなみに、合計特殊出生率を都道府県別に見ると、最高は沖縄県の1.80、最低は東京都の1.08で、いわゆる西高東低の状態が続いている。

地球は3分間で
どれくらいの森林を
失っているのか

047

ANSWER

テニスコート1111面分

年間520万ヘクタール、
3分間で29ヘクタールの森林が失われる

消費される森林

国土の陸地面積に対する森林面積の割合のことを森林率といい、
現在の世界の平均森林率は27.6%。
地球全体に占める森林の割合は8%。

3 minutes ✕ 森林

日本が縄文時代だった約1万年前には、地球の森林面積は62億ヘクタールあったとされているが、その後は文明の発達とともに、減少の一途を辿るばかり。かつて地球を覆っていた森林の3/4が、すでに失われてしまったといわれている。

特に近年は、3分間でテニスコート1111面分、1年間で日本の国土面積の半分の森林が消失。さらにその半分は砂漠化し、草も生えない荒地になっている。最悪のシナリオでは、世界最大の森アマゾンは、あと50年で砂漠化してしまう。それどころか、このままのペースが続けば、あと100年で地球上にある主要な森林が失われるという警告も出ている。

たしかに、一部では植林されているものの、植林や樹木の成長の数倍の速度で破壊されている上に、そうした人工林の場合、酸素を作ったり、水を蓄えたり、空気をきれいにしたりする本来の森林機能は、自然の原生林に比べて1/10以下程度しかない。ちなみに、現時点で地球に残っている原生林は、森林全体の24%にまで減っている。

森林破壊の主な原因は、先進国による商業伐採と大量消費

木材の使いすぎ&無計画な開発

先進国では無意識のうちに、大量の木材を使っている。用途別では建築・土木と紙がツートップで、それだけで全体の8割以上を占めている。また、先進国が消費する製品や飲食物を作るための工業地帯や農地、遊ぶためのリゾートや道路などを建設するために、広大な森林が切り開かれている。

酸性雨

石油や石炭を燃やすと、大量の二酸化炭素が発生すると同時に、酸性雨の主な原因物質である二酸化硫黄や窒素酸化物が発生する。酸性雨は人体にも重大な影響を与えるが、森林に与えるダメージは致命的。酸性になった土が植物の根を傷め、養分を吸い上げられなくなるため、最終的には枯れるしかない。

無謀な焼畑

本来の焼畑は小規模の森を燃やして4～5年耕作した後で、他の場所に移動するという農法。この場合、森林の性質に合わせて計画的に焼くため、数十年後にはきちんと再生する。しかし、先進国の企業が行う大規模で無謀な焼畑では、土の養分が根こそぎ奪われるため、再生できずに砂漠化することが多い。

森 林 破 壊 の 行 く 末

▶ 大気汚染の進行

森林は二酸化炭素を吸収して酸素を放出するだけでなく、大気中にある有害な汚染物質を吸収し無害化する。この「天然の空気清浄機」が減少すれば、大気中の二酸化炭素と汚染物質が増える一方になるのは、言わずもがな。

▶ 温暖化の促進

地球温暖化と森林破壊は表裏一体。今のペースで温暖化が進めば、急激な気温上昇に適応できず、2100年には地球上の森林の40％以上が枯れるという予測がある。その結果、二酸化炭素の大量放出で、さらに温暖化が進むという負のループに突入する。

▶ 生物の絶滅

豊かな生態系を持つ熱帯雨林は、世界の森林面積の約10％だが、そこには全生物の60〜70％が棲んでいる。しかし森林破壊のほとんどが、熱帯雨林に集中している。地球上で何十億年も生きてきた生物たちは、こうして永遠に消えていく。

▶ 深刻な食糧難

死滅し砂漠化した土地での耕作は不可能。温暖化で不安定になった気候は洪水や干ばつといった異常気象を巻き起こし、農業や漁業に壊滅的な被害を及ぼす。その結果として起こる深刻な食糧難は、先進国ではなく発展途上国を直撃する。

▶ 未知のウイルスの流行

近年、世界では毎年3、4種類の新たな感染症が見つかっているが、その7割近くは動物由来の感染症。森林破壊は人と野生生物の接触機会を増やし、病原体を運ぶ生物を異常発生させ、間接的には地球温暖化で病原体の分布拡大を引き起こす。

▶ 戦争の拡大

人間には豊かな土地を求めて戦争を繰り返してきた歴史があるが、その戦争自体が森林を破壊する行為でもあるという皮肉。軍需産業が大量の木材を消費し、ミサイルや戦車は森林を容赦なく焼き払っては、有害な化学物質を撒き散らす。

info 森林の消費大国、日本

　日本は世界有数の緑の多い国である一方、世界有数の木材輸入国であり、木材消費国でもある。なぜ自国の木材を使わず、輸入に頼るのか？ 人手不足の日本の林業は、人件費や木材の値段が高いため、国内消費量の約7割を外国から輸入せざるを得ない。その結果、安価な木材が大量に手に入るため、大量に使い捨てることが普通になっていった。もちろん、遠方からの木材の輸送で大量の二酸化炭素も排出している。

森林率ランキング（OECD加盟国）

1位	フィンランド	73.7%
2位	スウェーデン	68.7%
3位	日本	68.4%
4位	韓国	64.5%
5位	スロベニア	61.5%

QUESTION

宇宙では3分間で
どれくらいの
恒星が爆発して
生涯を
終えるのか

ÅNSWER

約22万8300個

2兆個以上あるとされる銀河系では、
1つの銀河で50年に1回ぐらい
超新星爆発が起きている

星の生死

地球に生きる生物と同じように、星にも生と死がある。
ここでは、惑星や衛星に比べて大きく重い恒星を例に、
星の一生を見ていく。

星のタイプは、大きく分けると3種類ある。1つめは自ら光を発する「恒星」。夜空に見える星は大半が恒星で、地球から見ると位置関係が変わらないため、星座を構成している。太陽系にある恒星は太陽1つしかない。

2つめは恒星の周りを回っている「惑星」。太陽系にある惑星は、水星、金星、地球、火星、木星、土星、天王星、海王星の8つで、自ら光を発することはない。太陽系の惑星は、岩石や金属が主成分の地球型、ガスが主成分の木星型、氷が主成分の天王星型に大別できる。

3つめは惑星の周りを回っている「衛星」。太陽系の惑星を回る衛星は150個以上あり、現時点では地球、火星、木星、土星、天王星、海王星に衛星があることが分かっている。地球の衛星は月1個のみだが、木星には太陽系最多となる79個の衛星が確認されている。

1 星の誕生
光り始めた時が星が生まれた時

宇宙にあるチリやガスといった物質が集まったものが、星の卵といえる「原始星」。重力によって周辺の物質を取り込みながら大きくなった原始星は、核融合を起こしてエネルギーを作り出し、中心の温度が1000万℃に達した時に光を放つようになる。この瞬間が星の誕生だ。

核融合
高温・高圧の環境下で水素などの軽い原子核同士が融合して、ヘリウムなどの重い原子核になることで、非常に大きなエネルギーを生み出す。水素→ヘリウム→炭素→ネオン→酸素→ケイ素→鉄の順番に進んでいく。

2 星の成長と老化
星の一生は核融合し続けること

内部で安定してエネルギーを作れるようになった星を「主系列星」と呼ぶ。現在の太陽はこの状態にあり、核融合の元になる水素を使いながら、何十億年も燃え続ける。なお、現在の太陽は46億歳で、寿命の半分ぐらいの中年期とされている。

内部の水素が減ってくると、星の表面が膨張して大きくなり、温度が下がって赤くなる。この状態になった星を「赤色巨星」と呼び、老年期に入ったと考えてよい。太陽の10倍以上の重さの星になると「赤色超巨星」と呼ばれる。

3 星の最期
質量によって変わる星の終焉

星の中心で核融合が起きると外向きの圧力が発生する。その圧力と星の重力が釣り合っているからこそ、星はその形を保つことができる。核融合は鉄を生成するに至るが、鉄より安定的な原子核がないため、それ以上の核融合は起こりえず、誕生から100万年ほどで「鉄の光分解」という破滅が訪れる。そうなると、中心部の圧力が急激に低下し、重力に耐えられなくなった星は潰れる。

その際に質量が太陽の8倍以上の恒星で起こる大爆発を「超新星爆発」と呼ぶ。超新星爆発は巨大なエネルギーを解放し、その衝撃波は宇宙に広がってゆく。1回の爆発で銀河1個分の明るさを放ち、衝撃波からはX線やガンマ線が放射される。

▶ 質量が太陽の1～8倍の場合

赤色巨星　　　　惑星状星雲　　　　白色矮星

他の星が出す紫外線に照らされて輝く星の外側にあるガス

ガスがなくなり中心部のみになった小さな恒星の成れの果て。核融合がストップし新たにエネルギーを生み出さないため、徐々に低温、低光度になっていく

▶ 質量が太陽の8倍～30倍の場合

赤色超巨星　　　　超新星爆発　　　　中性子星

超新星残骸

直径20kmぐらいだが、高密度なため角砂糖サイズで10億トン。重力も強いため高さ1mからの落下で時速720万km出る。自転速度は時速2億km、磁場は地球の8兆倍以上で、銀河系だけでも1億個は存在する

爆発の衝撃波で生じる星くずで、10万年以上は宇宙を漂う。一部は新しい星の元になり、次の星の誕生へと繋がる

▶ 質量が太陽の30倍の場合

赤色超巨星　　　　超新星爆発　　　　ブラックホール

重力が大きすぎる超巨大恒星の場合、中心に向かって永久に縮み続けるブラックホールができる。秒速30万kmの光すら吸い込まれてしまうため黒く見え、中心部分には密度と重力が無限大の「特異点」がある。少なくとも銀河系の数だけ存在すると考えられている

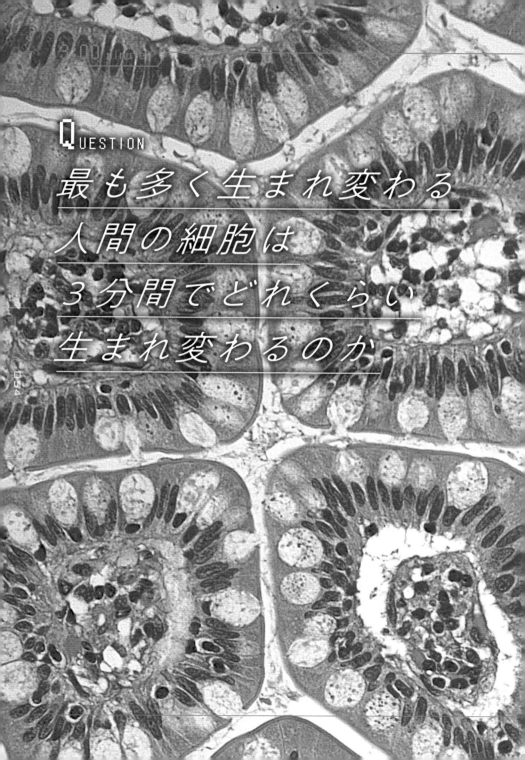

Q UESTION

最も多く生まれ変わる
人間の細胞は
3分間でどれくらい
生まれ変わるのか

ANSWER

小腸の細胞は
約3億個が生まれ変わる

人体は約37兆個の細胞で
できている

3 minutes ✕ 小腸の細胞

ウルトラマンが3分間の死闘で、地球を守っている間に、人間の小腸の細胞は、約3億個が生まれ変わっている。

人体は約37兆個の細胞で構成されており、各細胞には寿命がある。寿命が来たら死滅して新しい細胞に生まれ変わる（脳細胞、心筋細胞は別）。

約37兆個の細胞は約260種類のグループに分類されて、中でも最も生まれ変わりが早いのが、小腸の栄養吸収細胞。約1500億個ある小腸の栄養吸収細胞は24時間で生まれ変わる。これは1秒で約170万個の細胞が生まれ変わっている計算になる。

腸にはさまざまな刺激物が流れ込む。ときには有毒な物質が流れ込んでしまうこともある。だからこそ急ピッチで入れ替わる必要がある。

食べ物を消化する 御三家器官

 1 胃　 2 小腸　 3 大腸

info 胃の主な働き

食事をして食べ物が胃へ下りてくると、胃底部から胃液が分泌されて、胃の「ぜんどう運動」によってすりつぶされる。

このときに胃液に含まれている「ペプシン」という酵素の働きにより「たんぱく質」が分解される。でんぷん性の食物は早く、肉類はゆっくりと、そして脂肪性の食物は最もゆっくり通過する。

info 小腸の主な働き

胃で消化された食べ物は小腸へと送られる。小腸は「十二指腸」「空腸」「回腸」の消化器官で、全長は約6〜7メートル。

小腸の内側は絨毛と呼ばれる小さな突起が密集していて、栄養分を吸収している。

小腸で消化酵素と混ざり合い栄養分を取り出しやすくしている。栄養分の大半が小腸で吸収されている。

大腸の主な働き

小腸の次は大腸が待ち構えている。大腸は「盲腸」「結腸」「直腸」の3部門で構成されており、全長は約1.5メートル。消化の最終仕上げを行なう器官。

大腸には数百種類に及ぶ菌が、約100兆個存在している。水やミネラルを吸収したのち、最終的に便を作り出している。

人間が食べた食物は胃→小腸→大腸を通過して、消化&吸収されて、エネルギーへと変換される

info ## 便の主な働き

胃、小腸、大腸で消化&吸収された食べ物は、最終的に便に姿を変えて排出される

3分間で3億個が生まれ変わっている小腸の細胞。死滅して剥がれ落ちた細胞はどうなっているのか?

実は、剥がれた腸粘液は便の一部となって排出されている。この仕組みは皮膚でいうところの「垢」と同じで、人体の新陳代謝の一種。

ちなみに人間の便の構成比率は水分が70〜80%、食べかすが5〜10%。生きた腸内細菌が5〜10%。そして剥がれた腸内粘膜が5〜10%。

人体細胞が入れ替わる平均期間

胃の粘膜 … 約3日　　小腸細胞 … 約1日

肝臓 … 早い細胞は1か月で約96%、遅い細胞は約1年ですべて

腎臓 … 早い細胞は1か月で約90%、遅い細胞は約1年ですべて

筋肉 … 早い細胞は1か月で約60%、遅い細胞は約200日ですべて

皮膚 … 約1か月

骨 … 幼児期は約1年半、成長期は約2年、成人は約2年半、70歳以上は約3年

肌 … 10代は約20日間、20代は約28日、30代は約40日、40代は約55日、50代は約75日、60代は約100日

QUESTION

世界では3分間に
どれくらいの即席麺が
食べられているのか

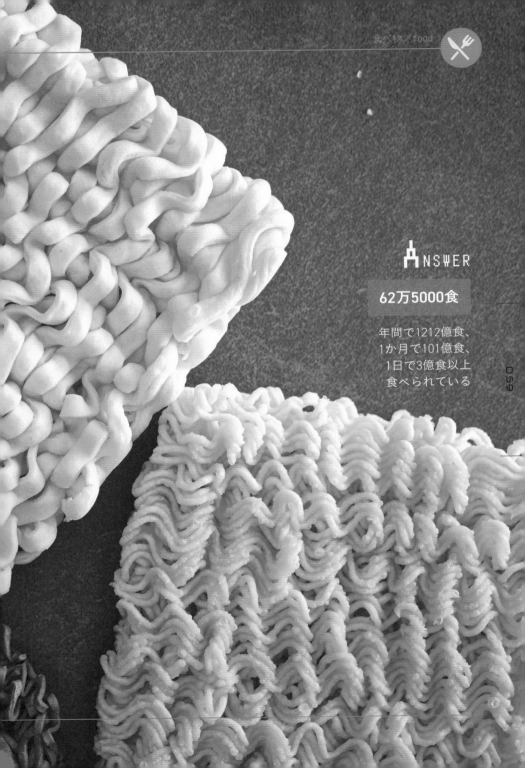

ANSWER

62万5000食

年間で1212億食、
1か月で101億食、
1日で3億食以上
食べられている

拡大する即席麺カルチャー

すぐ作れてパッと食べられる究極の時短ご飯。
日本発の発明品は、今や世界中で愛される
ボーダレスな日常食になりつつある。

3 minutes × 即席麺

本書のテーマである「3分間」という時間と、即席麺が切っても切れない関係にあるのは、一度でもお世話になったことがある人なら誰もが知っているはず。というより、「3分間」の代名詞こそ、即席麺が美味しくできあがるまでの時間である。そして、それは発売から65年が経った今でも変わらない。しかし、実は現代の技術をもってすれば、1分で即席麺を完成させることは決して難しくない。それでも、各社が3分にこだわるのには、理由がある。

最大の理由は、やはり美味しさ。乾燥させた麺を硬くも柔らかくもない食べ頃に戻すのに最適な時間が3分間なのだ。それと同時に、3分間というのは、心理学的に人がイライラせずに待てる限界であり、禁止されるほどやってみたくなる「カリギュラ効果」も手伝って、食欲が最高潮に達するタイミングでもあるのだ。つまり、3分待たないと食べられないというプチ禁欲が、最良のスパイスになるというわけ。

長いようで短い、短いようで長い絶妙な時間=3分間は、化学的に麺が最も美味しくなる、心理学的に麺が最も美味しく感じられる、まさに「魔法の時間」なのかもしれない。

info　国別の消費量1位は中国・香港
1人あたりの消費量1位はベトナム

消費量の圧倒的トップは、中国・香港の450億食。142億食で2位のインドネシアと合わせて全体の5割近い。ただし、この2か国は人口が多いため、1人あたりの消費量だと、国別3位のベトナムが1位、長年1位を独走してきた韓国が2位。

ちなみに、国別の消費量59億食で世界5位、1人あたりでは6位の日本では、時短と手軽さが求められるため、洗い物不要のカップ麺のシェアが全体の約67%になる。また、冬が長くて寒さが厳しい東北地方での消費率が非常に高く、簡単に体を温められる保存食としても重宝されていることが分かる。

人口1人あたりの消費ランキング

1位	ベトナム	85.3食
2位	韓国	76.5食
3位	タイ	55.2食
4位	ネパール	54.7食
5位	インドネシア	51.9食
6位	日本	47.8食

info 世界＆宇宙へ飛躍したメイド・イン・ジャパン

麺の故郷は中国だが、即席麺は日本生まれ。1958年に発売されるや否や、魔法のラーメンとして好評を博した「チキンラーメン」（日清食品）を皮切りに、1971年に登場した「カップヌードル」（同）が、あさま山荘を包囲する警官たちの携行食として注目を集め、大ヒットしたのは有名な話だ。そして発売から半世紀が経ったカップヌードルは、今や世界100か国で販売されるグローバルなブランドに成長している。

即席麺の躍進は、もはや地球だけにとどまらない。世界初の宇宙食ラーメン「スペース・ラム」（日清食品×JAXA）が、2005年にスペースシャトル・ディスカバリー号で宇宙に進出した。無重力状態のISSに合わせて、容器から麺や具材の形状、お湯の温度、スープやソースの粘度まで、細やかな工夫が成されている。近年ラインナップも充実しつつあり、宇宙空間でも定番化しそうだ。

info 実は水でも調理できる非常食

即席麺は熱湯がないと作れないという先入観から、災害時などの非常食には向かないと考える人は少なくない。しかしながら、実は水調理も可能なのだ。

作り方はいたって簡単で、お湯の代わりに常温の水を入れて、通常の5〜10倍ぐらいの時間待つだけ。3分なら15〜30分ぐらいが目安になる。麺や具材が食べられるまで戻ったら、スープやソースで味つけすればOK。袋麺の場合、袋に直接水を注げば、余計な洗い物も出ない。

ラーメンはもちろん、うどんやそば、焼きそばでも大丈夫な上に、気になる味も、

サッパリした冷やし麺のような感覚で食べられる。即席麺は、味気なくなりがちな非常食としても活躍間違いなしだ。

QUESTION

500円玉は3分間で
どれくらい
作られているのか

ANSWER

2025枚ぐらい

1年だと3億5000万枚、
1日だと97万2200枚になる

3 minutes ✕ お金

2023年度の貨幣製造計画によると、全硬貨の年間製造枚数は、前年度より約4200万枚少ない5億8600万枚。この数字は消費税の導入に伴って過去最多となった2003年度の半分以下となる。ちなみに、3分間で製造される500円玉以外の硬貨の枚数は、100円玉が1155枚、10円玉が190枚、50円玉と5円玉と1円玉にいたってはわずか6枚だった。

ここまで硬貨の製造枚数が減った主な要因は、キャッシュレス決済の普及。キャッシュレス決済とは、文字通り、現金を使わない支払い方式のことだが、不要になりつつある「キャッシュ」とは一体なんなのか?

500円玉という金属の塊の価値は、日本という国が保証している。そして言うまでもなく、世の人々がその価値を認めているからこそ、500円分の買い物ができる。つまり、お金の本質は、紙でも金属の塊でもなく、「信用」なのだ。お金の本質が目に見えない「信用」だとしたら、太古の昔に物々交換から始まり、現金を生み出した人間の経済が、目に見える「キャッシュ」から見えない「キャッシュレス」へと移行するのは、自然な流れなのかもしれない。

info　プラスチック紙幣が増加中

ポリマー紙幣

プラスチック紙幣の材料は、プラスチックの原料となる小さな分子(モノマー)を鎖状に繋げて大きい分子(ポリマー)にした合成樹脂であるため、ポリマー紙幣とも呼ばれる。

日本の紙幣は、明治時代から現在に至るまで、植物繊維を特殊加工した伝統的な和紙で作られている。しかし、海外に目を向けると、プラスチック製の紙幣を採用する国が増えてきている。

紙の紙幣に比べてずっと丈夫で長持ちするため、製造コストを抑えられる上に、手に入りにくい特殊素材ということも手伝って偽造防止もできる。さらに、リサイクルもしやすく環境に優しいため、まさに一石三鳥。未来型の紙幣と言ってもいい。

現在流通しているオーストラリアドルの紙幣は、全てポリマー製

info　キャッシュレス先進国、スウェーデン

　キャッシュレスのトップランナーといえば、北欧のスウェーデン。世界で最も「現金が消滅する日が近い」と言われており、日本銀行の分析によると、すでに決済の約99％がキャッシュレスで行われている。

　スウェーデンが国を挙げてキャッシュレス化に舵を切った理由は主に2つ。①治安向上：実際に現金を狙う強盗やスリなどの犯罪行為が激減した。②コスト削減と生産性向上：現金の製造コストはもちろん、ATMの運用や現金の輸送にかかる膨大な労力や費用のカットに成功した。

　国主導でキャッシュレス化を促進するために、スウェーデン政府が開発したのがスマホアプリ「Swish」だった。今や若年層への普及率は100％というデータもあるほど、生活に欠かせないツールになっている。さらに、手にICチップを埋め込み、端末にかざすだけで決済するという実験的な取り組みもスタートしている。いずれQRコードもカードもいらない未来がやってくるだろう。

Swish
2012年にスウェーデン国立銀行とメガバンク6行が共同開発したモバイル決済アプリ。スウェーデン国内の銀行が発行する「Bank ID」を登録すれば、支払い相手の電話番号と金額を入力するだけで、即時払いできる。店舗での支払いはもちろん、銀行間や個人間の送金も無料。

info　デジタル通貨という形

電子マネー	暗号資産	CBDC
国が発行する法定通貨の代替版。日本では事前チャージのプリペイド方式が基本になっている。	特定の国による価値の保証がない通貨。ブロックチェーンという暗号化技術で、信頼性を担保している。	電子マネーのような代替版ではなく、法定通貨そのもの。もはや現金はなく、データとしてだけ存在する。
▼	▼	▼
□**Suica**　□**WAON** □**PayPay**　…etc	□**Bitcoin**　□**Ethereum** □**XRP**　…etc	□**Sand Dollar**（バハマ） □**eNaira**（ナイジェリア） …etc

　デジタル通貨には厳密な定義はないものの、主だったものは上の3種類に分別できる。その中でも注目したいのが、CBDC。Central Bank Digital Currencyの略で、中央銀行デジタル通貨と呼ばれる。簡単に言えば、各国の中央銀行が発行する公式デジタル通貨のことで、コストやリスクの削減に加え、圧倒的な効率化などが期待されるため、現在多くの国が導入を検討し始めている。2021年から本格的な実証実験をスタートしている日本でも「デジタル円」が誕生するのだろうか？

最新鋭の寿司ロボットは
3分間でどれくらいの
寿司を握れるのか

ANSWER

最新シャリ玉ロボットなら240貫

240貫は3桶21人前になる

≫ ロボットと共存する社会 ≪

ロボットが製造業を自動化した20世紀に対し、
21世紀はAIがオフィスを自動化するといわれている。
もうすぐ、あらゆることが自動化し、SFの世界が現実になる？

3 minutes ✕ ロボット

少子高齢化による慢性的な人手不足や、コロナ禍によるライフスタイルの変化により、ロボット需要が急拡大している。内閣府は「AIとロボットの共進化」として、2050年までに自ら学習・行動し、人と共生するAIロボットを開発する一大プロジェクトを推進。完全無人化による産業革新やサイエンスの自動化、宇宙への定常的な進出を目指している。

ポイントは、ロボットvs人間ではなく、ロボット×人間になること。双方の得意分野を掛け合わせることで、多くの課題をクリアし、大きなブレイクスルーを生む。今後さらに増えるであろうロボットたちと、どうすれば上手に共存できるのか？　真剣に考えるべき時がやって来ているのかもしれない。

---

info　世界80か国以上で活躍中！
Sushiカルチャーを広げるロボット

このシャリのふんわり感は職人泣かせ

業界最速の生産能力を持つシャリ玉ロボットSSN-JLA/SSN-JRA
©鈴茂器工株式会社

まるで熟練の寿司職人が握ったかのような、米がふんわり粒立ったシャリ玉でありながら、3分間で240貫という人の手が追いつかないスピード感を実現させたシャリ玉ロボット。食の美味しさと機械ならではの効率の良さを両立させたロボットは、日本全国に回転寿司チェーンを普及させた立役者だった。

そんなロボットが今度は各国の和食ブームを強力にバックアップ。世界80か国以上で多言語に対応する寿司ロボットが、知識や技術のない外国人をサポートし、寿司文化をどんどん広げている。

より多くの人に美味しい寿司を食べてもらいたい一心で開発されたロボットが、結果的に省人化や時短を成功させ、海外からのニーズにも応えることになっている。

人間をサポートするサービスロボットが急増中

▶AI家電

ロボット掃除機を筆頭に、AIを搭載したスマート家電が増えてきている。食材管理する冷蔵庫、自動運転するエアコンなど、スマホ1台で遠隔操作も可能。

掃除機・エアコン・冷蔵庫・洗濯機etc

▶会話ロボット

人の言葉に応じた対話や身振り手振りができるロボット。高齢者の見守りや子どもの遊び相手にピッタリで、モノによっては1000円台から試せる手軽さも嬉しい。

人型ロボット・動物型ロボットetc

▶運搬ロボット

ネットショッピングの拡大や飲食店の人材不足は、荷物運搬ロボットや配膳ロボットの普及を後押し。サービスされる客側にも慣れが必要かもしれない。

荷物搬送ロボット・配膳ロボットetc

▶医療ロボット

少子高齢化に伴い、特に介護現場でのニーズが拡大中。身体的・心理的な負担を軽減するために、移乗や食事、入浴、排泄などを手伝うロボットに注目が集まっている。

手術ロボット・調剤ロボット・介護＆介助ロボットetc

▶巡回ロボット

異常がないかチェックする警備ロボットや、数か国語でガイドできる自律走行型の案内ロボットが自動で施設内を動き回る光景が増えてきている。

警備ロボット・案内ロボットetc

▶農業用ロボット

ロボットやAIなどの最新テクノロジーを駆使したスマート農業の広がりは、やがてやって来る地球規模の食糧難を乗り切るカギになりそうだ。

農薬散布ドローン・自動収穫ロボットetc

▶ロボットスーツ

モーターや人工筋肉などを体に装着することで、動作を補助してくれるパワーアシストスーツ。すでにリハビリ、介護、農業の現場などで大活躍している。

サイボーグ型ロボット・ロボットアームetc

▶災害対応ロボット

カメラやセンサーを搭載して、人が踏み込めない災害現場や狭い隙間で活動する。陸上探査、水中探査、火災、情報収集など、災害大国・日本にとっては心強い存在だ。

レスキューロボット・無人重機etc

QUESTION

人間は3分間で
どれくらいの
空気を吸って
どれくらいの
二酸化炭素を
吐くのか

ANSWER

500ミリリットルのペットボトル
45本分の空気を吸って、
同量の二酸化炭素を吐き出している

1分間で約7.5リットル、
3分間で約22.5リットル

空気の正体

人間は約4秒間に1回のペースで呼吸をしている。
1回の呼吸で体内に取り込む空気量は
500ミリリットルのペットボトル1本分。

3 minutes × 呼吸

カップラーメンにお湯を注ぎ入れてから完成するまでの3分間で、人間は平均すると22.5リットルの空気を吸い込み、同量の二酸化炭素を吐き出している。3分間で吸い込んだ22.5リットルの空気は、体内に取り込まれてからどのようなルートをたどり、どのように変化するのだろうか?

口もしくは鼻から取り込まれた空気は、直径約2センチ、長さ約10センチの「気管」を通過。気管を通過した空気は左右の肺へと分配される。左右の肺へ分配されるために気管は2方向へ分岐するのだが、分岐点より先の気管は「気管支」と名前を変える。

2つの肺に分配された空気は、肺の中で分岐を繰り返しながら、最終的には100万本を超える気管支の先端まで丁寧に送り届けられる。

気管支の先端には直径約0.2ミリの肺胞が付属している。その数はおよそ3〜6億個。肺胞の周囲は細い血管に覆われている。空気は肺胞まで届けられるが、肺胞の壁を通過できるのは空気中に含まれた酸素だけ。

肺胞の壁を通過した酸素は血管内に入り込み、人体の細部にまで行き渡る。人体はそのようにして届けられた酸素を、3分間で約750ミリリットル消費して活動を続けている。

info　酸素は生物にとっては猛毒!

太古の地球には酸素は存在していなかった。当時の地球の空気は、現在の空気の数百倍以上濃い二酸化炭素に満ちていたと考えられている。

35〜45億年以上昔、太古の海にシアノバクテリアが誕生した。シアノバクテリアが光合成をはじめると、一気に増殖し、やがて全地球を覆い尽くすほどに繁栄した。そのときに大量に放出されたのが酸素。

当時の地球上の生物は酸素を吸ったことが原因で、ほとんど絶滅したといわれている。

酸素は他物質との反応性が高い特徴がある。生物の体内組織に酸素が反応して結合すると、組織が本来果たすべき役割を発揮できなくなってしまう。それが原因で、当時の生物は、ほとんど死滅した。

酸素は猛毒だが、その一方で上手に使うと効率よくエネルギーに変換できる特徴もある。

人間のように、現在の地球の生き物たちの多くは、猛毒である酸素をエネルギーに変えて生きていけるように進化したといえる。

現代の空気の組成率

　呼吸のときに吸い込む気体を空気と呼ぶが、空気という物質は本来存在しない。空気は複数の物質（気体）が混ざり合った総称。そして空気を構成する気体の組成は時代とともに変化している。

　太古の地球は高濃度の二酸化炭素に満ちていたが、現代の空気に占める二酸化炭素の比率は極めて低い。現代の地球の空気の組成率を見てみると、窒素と酸素が大半で、99%を占めている。残り1%はアルゴン、二酸化炭素、ネオン、ヘリウムなどの物質で構成されている。

1% ［アルゴン］
［二酸化炭素］
［ネオン］
［ヘリウム］
など

21% 酸素

78% 窒素

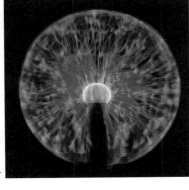
ネオンガスのプラズマ

空気中にわずかに含まれている
アルゴン&ネオン&ヘリウムってなに?

>>>　　　　　　　　　<<<

アルゴン	ネオン	ヘリウム
▶ 元素番号：**18**	▶ 元素番号：**10**	▶ 元素番号：**2**
▶ 元素記号：**Ar**	▶ 元素記号：**Ne**	▶ 元素記号：**He**
▶ 原子量：**39.948u**	▶ 原子量：**20.180u**	▶ 原子量：**4.00260u**

二酸化炭素よりも多量に空気中に含まれているが「希ガス（貴ガス）」に属する。希ガスとは空気中の存在量が少ない「まれなガス」の意味で、「ヘリウム」「ネオン」「クリプトン」「キセノン」「ラドン」の6タイプ。アルゴンの名前の由来は、何ものとも反応しない特性から、ギリシヤ語の「怠惰」から来ている。

常温常圧では無色透明の反応性が乏しい気体。希ガス（貴ガス）の中では2番目に軽い。ネオン管や蛍光灯の先駆けであるガイスラー管に充填して放電を行うと、橙赤色に発光する特性があるため、ネオン管に充填するガスとして利用されている。ネオンが放つプラズマは希ガスの中では最も激しい。

希ガス（貴ガス）の中では最も軽い気体。重さは空気の約1/7。吸引してから話すと声色が高くなる気体として有名。ヘリウムを吸引して発声すると、空気中での音の伝達速度よりも、速く音が伝達される。そのため声道で共鳴する音の振動数が高くなり、結果的に声質が高く聞こえる。

QUESTION

地球には3分間で
どれくらいの
二酸化炭素が
排出されるのか

ANSWER

約18万7000トン
3分間で4トントラック約4万6750台分

1日だと約9000万トン、1か月だと約27億トン、
そして1年だと約335億トン

温室効果ガスを考える

地球温暖化を促進させる温室効果ガスは
二酸化炭素だけではない。

3 minutes × 温室効果ガス

　　　地球上で3分間に排出されている二酸化炭素の量は、約18万7000トン。4トントラックに換算すると、おおよそ4万6750台分にもなる。

　　なぜ二酸化炭素が排出されると問題なのか?

　　それは二酸化炭素が温室効果ガスの一種だから。排出される二酸化炭素量が増加すると、結果的に地球温暖化を促進してしまう。

　　二酸化炭素の多くは鉄鋼業、発電業、運送業などから排出されているのだが、全排出量の約15%は一般家庭から出ているといわれている。個人の努力で二酸化炭素の排出量を減少させることもできる。

info 温室効果ガスとはなにか?

　　温室効果ガスには太陽の熱を地球に閉じ込めておく働きがある。温室効果ガスの働きによって、地球の平均気温は14℃に保たれている。

　　もしも温室効果ガスがなくなってしまったら、地球の表面温度は平均−19℃に低下してしまう、という研究データもある。

　　温室効果ガスは、ある意味では大切な存在なのだが、急激な工業の発展により、温室効果ガスの一種である、二酸化炭素の排出量が増えすぎている。このままのペースで二酸化炭素の排出が続くと、地球は深刻な温暖化に見舞われてしまう。

　　そもそも温室効果ガスとはなにか?　温室効果ガスとは大気中に含まれている二酸化炭素、メタンなどのガスの総称。

　　排出量がケタ外れに多い二酸化炭素が注目されているが、実は排出量こそ少ないが、二酸化炭素の数百倍〜数万倍の温室効果がある温室効果ガスも存在している。

様々な温室効果ガス

二酸化炭素	メタン	一酸化二窒素	代替フロン類
温室効果ガスの約76%	温室効果ガスの約15.6%	温室効果ガスの約6.4%	温室効果ガスの約2%

それぞれの温室効果ガスの特徴

二酸化炭素

炭素原子1個に対して、酸素原子が2個結びついた物質。石油や石炭などの化学燃料や木、プラスチックを燃やしたときに発生する。

▼

最も大量に排出されている温室効果ガス

一酸化二窒素

窒素原子2個に対して、酸素原子1個が結びついた物質。全身麻酔時の笑気ガスとして利用されている。主に窒素肥料の使用&製造によって発生する。

▼

温室効果は二酸化炭素の310倍

メタン

炭素原子1個に対して、水素原子が4個結びついた物質。天然ガスの採掘や、家畜のゲップ&糞尿によって発生する。

▼

温室効果は二酸化炭素の21倍

代替フロン

フロンは元々自然界には存在しない物質で、オゾン層の破壊が確認されて1997年に生産禁止になった。その代わりに登場したのが代替フロン。

▼

温室効果は二酸化炭素の数百～数万倍

---

info　温室効果ガスが増えると地球はどうなる?

温室効果ガスが増えると、本来は地球から出ていくはずの「熱」が蓄積されて気温が上昇。そして、地球温暖化の促進へと繋がる。

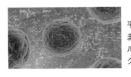

平均気温が上がると、今まで静かにしていたウイルスが活動を始めるリスクがある

温暖化が進むと地球はどうなるのか?

- 南極や北極に貯蔵されている氷が溶けて海面が上昇する。標高の低い土地は水没のリスクがある。
- 平均気温の上昇により、蒸発する水分が増加。豪雨の発生に繋がる。
- 動物や植物の生態系が変化して、これまで一部の地域でしか発生していなかった疫病が世界に広がる。もしくは未知のウイルスが活動する。
- 農作物の生育に悪影響を及ぼす。
  など、現在の生活が根底から変えられてしまう可能性がある。

▼

地球温暖化促進にブレーキを掛けるために個人ができること

☑ 節電を心がける　☑ 自家用車の代わりに公共交通機関を利用する　☑ エコバッグを使用する

QUESTION

キツツキは3分間で何回ぐらい木をつつくのか

ANSWER

1秒間に約20回
3分間だと約3600回

現実にはキツツキが3分間連続で
木をつつき続けることはほぼない

キツツキはなぜ脳震とうにならない?

高速でクチバシを木に打ちつけるキツツキが なぜ無事でいられるのか? その謎に迫る!

3 minutes × ドラミング

トップレベルのボクサーになると、ときに1ラウンド（3分間）で250発以上のパンチを繰り出すことがあるという。ボクサーが250発以上のパンチを叩き出している間に、キツツキは約3600回、木をつついている。

キツツキが木をつつく行為はドラミングと呼ばれている。ドラミングの目的のひとつは、樹中に巣くう幼虫や多足類などを引きずり出して食べること。そしてもうひとつの目的が縄張りの主張と、異性へのアピール。

キツツキが実際に3分間にも及びドラミングを続けることはほぼないといわれている。

それでも1秒間に20回というドラミング速度は、生物の限界を超えている。なぜ脳震とうにならないのか? その理由は長きにわたり科学者たちの間で議論されている。

info 時速25キロで壁に 頭部を激突させるのと同等の衝撃

キツツキがドラミングを行う際の所作はシステマティックだ。

木の幹をつかむ足が支点の役割を担う。そして体を1本のハンマーのようにして、まるでテコのようにクチバシを幹に振り下ろす。その時に太い尾羽は体を固定するための留め具の役割を果たすと同時に、バネの役割を兼任して、振り下ろすクチバシをさらに加速させる。

結果として1秒間に20回という高速ドラミングを可能にしている。

ではなぜ、これだけの高速ドラミングに対して頭部は無事なのか? その理由は諸説ある。

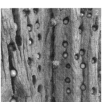

1 北アメリカ～中央アメリカに生息しているドングリキツツキ。2 ドングリキツツキは、木に穴をあけてドングリを貯蔵しておく習性がある。3 日本に生息する最小のキツツキ・コゲラ。正式には日本にキツツキという名前の鳥は存在せず「ゲラ」と呼ばれている。4 日本に生息する最大のキツツキ・クマゲラ

>>> <u>なぜ脳震とうにならないのか?</u> <<<

第1の説 ▶ 3種類の天然ショックアブソーバーを駆使

ひとつめの説はキツツキ特有の優れた衝撃吸収構造と、つつき方に隠されている、という考え方。

クチバシの根元の発達した筋肉&大きくて分厚い頭蓋骨&後頭部まで包みこむ長い舌の付け根がクッションの役割を果たしている。このような身体的構造により頭部が衝撃から守られている。さらに木を垂直につつくことによって、衝撃を抑えていることが主な理由と考えられている。

第2の説 ▶ ポイントはキツツキの脳の大きさ

もうひとつの説は、キツツキが本当に衝撃を吸収しながら木をつついているとしたら、エネルギー効率が悪すぎる。その場合は木に穴をあけるためには、今よりもさらに強い力で木をつつく必要がある、という考え方。では、キツツキはどのようにして頭部を衝撃から守っているのか?

そのヒミツは脳の大きさにあると考えられている。脳の大きさが人間くらいある場合は、キツツキの速度で木をつつくと、脳震とうをおこす可能性が十分にある。だがキツツキの脳のサイズは小さいので、脳にダメージは受けないという研究結果がある。

▼

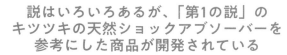

説はいろいろあるが、「第1の説」のキツツキの天然ショックアブソーバーを参考にした商品が開発されている

キツツキの天然ショックアブソーバーは、さまざまな商品開発にヒントを与えている。

衝撃を吸収するために、内側にスポンジが内包されているオートバイのヘルメットには、キツツキの頭部構造を参考に開発された商品もある。さらにはキツツキの体の機能を参考にして、緩やかなカーブを再現した登山用のアイスピックも発売されている。

**生き物の形態や構造を参考にしたモノづくりの手法は
バイオミメティクスと呼ばれている。**

次のページで実例を紹介!

キツツキだけじゃない
バイオミメティクスの世界

バイオミメティクスとは生物の構造や機能から着想を得て、技術や商品開発に活かす研究のこと。そして近年バイオミメティクスの一分野として注目を集めているのがバイオミミクリー。循環型や再生性に重きをおいて、自然界の仕組みを技術開発にフィードバックする新しいタイプのバイオミメティクスとして注目されている。

Case1 ハスの葉 ▶ ヨーグルトのフタ

　かつてはフタにヨーグルトがベッタリと付着してしまうことがあったが、近年のヨーグルトはその問題点が解消されている。ヨーグルトが付着しないフタを開発するときに研究されたのがハスの葉。ハスの葉を顕微鏡で覗くと小さなデコボコがある。デコボコはハスの葉についた水滴を弾き、水玉にする効力がある。そうした仕組みを研究してヨーグルトがつかないフタが開発された。

Case2 カワセミ ▶ 新幹線500系

　時速300キロを誇る新幹線500系。速さゆえにトンネルを通過するときの騒音が問題だった。そのとき参考にされたのがカワセミ。カワセミはエサを取るため水面に飛び込む際の、水しぶきが極端に少ないことで有名だ。理由は細長く伸びたクチバシ。新幹線500系の長いノーズは、カワセミの顔がモデルになっている。カワセミのクチバシ形状を参考にすることにより、走行抵抗30%の軽減、消費電力15%の削減に成功した。

Case3 フジツボ ▶ 医療用接着剤

　岩場から船底まで、どこにでも貼り付く特性があるフジツボは、額にあたる部位にあるセメント腺から接着性のタンパク質を分泌している。この分泌液は、様々な脂質成分が含まれている特殊なオイル。十分な接着効果を発揮できるように、特殊なオイルが対象物の表面の汚れをキレイに洗い流している。フジツボのこうした特性を利用して医療用接着剤が開発された。

BIOMIMETICS

Case4 タコ ▶ ロボットアーム

タコの触手は結び目をほどき、ボトルのフタを開け、あらゆる形状をつかむことができる。そうしたタコの触手のテーパー角度を精密に測定して、モノをつかむための最適値を定量化。

そして誕生したロボットアームは、物体に貼り付き、包み込み、持ち運び、離すことができる高性能なロボットアームになった。

Case5 ハチの巣 ▶ 住宅

六角形をベースとして連結しているハチの巣の構造をモデルにした住宅、共有施設がある。ハチの巣に代表されるハニカム構造は、衝撃吸収力に優れているため耐久性が高い。さらに軽量で内側の面積が大きいため住宅構造に応用するのにも最適。

居住スタイルに合わせて自由にカスタマイズできる住宅としても注目を集めている。

Case6 サメ ▶ 抵抗軽減塗料

サメ肌と呼ばれるサメの皮膚は、小さなウロコのような突起で覆われている。この皮膚の特徴は、サメが泳いでいるときに乱流渦の発生を低減し、水の抵抗を減らす効果があること。サメの皮膚と同様の原理で、飛行機や船舶の塗料を開発すれば、耐久性に優れているだけではなく、燃料が節約できることが期待されている。

Case7 魚の群れ ▶ 自動運転システム

イワシなどに代表される魚の群れが、なぜ一定の距離を保ち、一糸乱れることなく泳ぎ続けることが可能なのか？　仲間同士衝突することもなく、距離が開きすぎることもない。常に適度な距離を維持しながら、大量の魚たちが並走を続ける。この理論とシステムを緻密に研究し、その技術を応用して自動運転システムが開発された。

距離と速度に関する3分間

宇宙の深淵から、
動植の悲哀や植物の不思議、
音や光の性質まで、
距離や速度ではかることができる、
たった3分間のすごい世界。
時間がもつ価値と可能性を見つめ直してみよう。

3min rela

Distance a

ted to
nd Speed

「速さ」と「距離」と「単位」の
はなし

速さとはなにか？

ものが一定時間で進んだ距離のこと。

速度とはなにか？

速さ＋向きのこと。同じ速さでも進む向きで区別される。

速さは常に0以上の値になるが、速度には向きも加わるため、負の値になることもある。

距離とはなにか？

ある2点間を最短で結んだ時の長さのこと。

道のりとはなにか？

ある点からある点に移動するときに通った道の長さ。すなわち最短距離でなくともよい。

道が直線の場合、距離＝道のりとなる。道のりが距離より短くなることはない。

速さと距離と時間の関係

本書のテーマである3分間、つまり「時間」と距離・速度は、三位一体と言ってもよく、切っても切り離せない蜜月の関係性にある。

このような公式が成立する理由はなぜか？ ポイントになるのは、速さの意味。すなわち、速さとは決まった単位時間あたりに進む距離のことなのだ。そのため、速さを1時間あたりに進んだ距離で表す時に時速、1分間あたりの時に分速、1秒間あたりの時に秒速と呼ぶ。なお、速さにも平均的な速さと瞬間的な速さの2種類あり、時速などでは同じ速さ、平均的な速さで進むと仮定している。

■ 速さ＝距離÷時間　　■ 距離＝速さ×時間　　■ 時間＝距離÷速さ

距離 (長さ) の単位

全世界共通の基準「国際単位系 (SI)」における長さの基本単位は「メートル (m)」。メートルの語源は、計ることを意味する古代ギリシア語のmetronもしくは、ラテン語のmetrumとされ、元々はフランスのパリを通過する子午線の北極から赤道までの長さの1000万分の1だった。1983年以降、メートルの定義は以下のようになっている。

▶ 1メートル＝1秒の299792458分の1の時間に光が真空中を伝わる長さ

メートル基準の単位

単位	1mに換算すると	1mの
ym (ヨクトメートル)	10^{24}	一秭 (じょ) 分の1
zm (ゼプトメートル)	10^{21}	十垓 (がい) 分の1
am (アトメートル)	10^{18}	百京 (けい) 分の1
fm (フェムトメートル)	10^{15}	千兆分の1
pm (ピコメートル)	10^{12}	一兆分の1
nm (ナノメートル)	0.000000001	十億分の1
μm (マイクロメートル)	0.000001	百万分の1
mm (ミリメートル)	0.001	千分の1
cm (センチメートル)	0.01	百分の1
dm (デシメートル)	0.1	十分の1
m (メートル)	1	
dam (デカメートル)	10	十倍
hm (ヘクトメートル)	100	百倍
km (キロメートル)	1,000	千倍
Mm (メガメートル)	1,000,000	百万倍
Gm (ギガメートル)	1,000,000,000	十億倍
Tm (テラメートル)	1,000,000,000,000	一兆倍
Pm (ペタメートル)	10^{15}	千兆倍
Em (エクサメートル)	10^{18}	百京 (けい) 倍
Zm (ゼタメートル)	10^{21}	十垓 (がい) 倍
Ym (ヨタメートル)	10^{24}	一秭 (じょ) 倍

メートル以外の単位

単位	1mに換算すると
inch (インチ)	0.0254メートル
尺 (しゃく)	0.30303メートル
feet (フィート)	0.3048メートル
yard (ヤード)	0.9144メートル
mile (マイル)	1,609.344メートル
海里 (かいり)	1,852メートル
光年 (こうねん)	9,460,730,472,580,800メートル

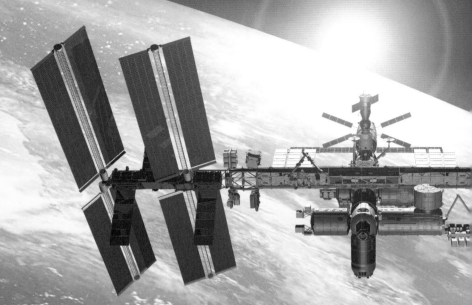

QUESTION

国際宇宙ステーションは 3分間でどれくらい 移動するのか

ANSWER

東京～鹿児島間ぐらい

時速2万8000キロメートル、
秒速7.9キロメートルだから、
1分で474キロメートル、
3分で1422キロメートル移動する

人類の宇宙進出

初めて宇宙に飛び出したガガーリンが「地球は青かった」と
発言してから約60年。民間の宇宙船も登場し始め、
宇宙は絶対に手の届かない場所ではなくなりつつある。

3 minutes ✕ ISS

1998年に1つめのパーツが軌道上に打ち上げられて以来、13年かけて建設されたISS（国際宇宙ステーション）は、人類の進歩という目的を共有する国際協力の場でもある。

それまでの宇宙開発は、アメリカとソビエト連邦（現ロシア）が、競うように行っていた。だがISSは、各国が協力して資金や人材、技術を提供することで、より大規模で、より安定的なプロジェクトに成長。運用開始から25年

を経た今も現役で、延べ19か国240人以上の宇宙飛行士たちが、様々な分野の実験で唯一無二の大きな成果を出してきた。

そんなISSだが、運用期限は2030年までとなっている。最近では、地球軌道を周回する後継ステーションの準備が急ピッチで進められている他、NASAが月と火星での長期滞在を目指す本格的なプロジェクトをスタートさせている。

大きさはサッカー場ぐらい、重さは路線バス28台分

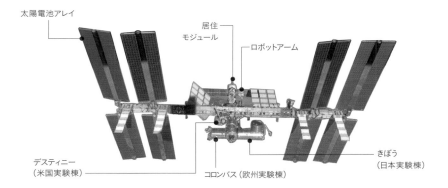

太陽電池アレイ
居住モジュール
ロボットアーム
デスティニー（米国実験棟）
コロンバス（欧州実験棟）
きぼう（日本実験棟）

宇宙で様々な実験や研究を行うために15か国が共同開発したISSは、地球軌道上にある最大の人工物。その大きさはサッカー場と同じぐらいの約108×72メートル、重さは大きなアフリカゾウ42頭に等しい420トンにもなる。主なセクションにはロシア側とアメリカ側があり、ロシア側に

は滞在者の居住空間が、アメリカ側には日・米・欧が管轄する3つの実験棟がある。
他に人間が滞在できる宇宙ステーションとしては、運用中のものにCSS（中国宇宙ステーション）、計画中のものにJSS（日本宇宙ステーション）、月を周回するGatewayなどがある。

info ISSは無重力じゃない!? 地球に落ちない理由とは？

　宇宙空間に到達した瞬間に重力がなくなり、いきなり無重力になると思いがちだが、地球に近い場所は重力の影響下にあるため、無重力ではない。例えば上空400キロメートルにあるISSには地球の90%程度の重力があり、体重100キログラムの人間が90キログラムになるぐらいの差しかないのだ。

　では、ISS滞在中の宇宙飛行士が浮いているのはなぜか？　静止したら重力で地球に落ちてしまうため、地球の周りを高速周回することで、重力と釣り合う遠心力を生み出しているからだ。ちなみに、ISSは地球を約90分で1周、1日で約16周している。

　ISSに限らず、地球の軌道上にある宇宙物体は、その高度での引力に釣り合う遠心力を生み出す速度で回っているため、地球に落下しない。なお、重力は距離の2乗

に反比例して無限に届く。つまり、地球の重力は3.6万キロメートル離れた静止軌道衛星では2%、約40万キロメートル離れた月では0.025%ぐらいになる。

地上からの距離

宇宙空間	100km〜
スペースシャトル	200〜1000km
人工衛星	200〜3.6万km
ISS	400km
月	38万4400km
太陽	1億5000万km

info 地球の周りはゴミだらけ！ 笑えないスペースデブリの脅威

スペースデブリ
地球の軌道上にある不要な人工物体のこと。運用を終えた人工衛星や、打ち上げロケットの部品、爆発や衝突で発生した破片など様々な種類がある。宇宙ゴミとも呼ばれる。

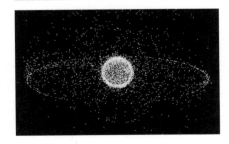

　現在、地球軌道上にある宇宙物体のうち、運用中のものは6%しかなく、残りは全てゴミ。ゴミとはいえ、秒速7〜8キロメートルという高速で飛んでいるため、衝突すれば人工衛星を破壊するほどのダメージを与えかねない。現時点で、10センチ以上が2.3万個、1センチ以上が50〜70万個、1ミリ以上が1億個以上も確認されている。

　1回の作業で数百億円かかるため、スペースデブリ除去の実施例はいまだゼロ。現実的な対策としては、新たなデブリを増やさないために、宇宙ゴミ同士を衝突させないようにしているが、近年の衛星破壊実験や衝突事故で増えるばかりだ。

QUESTION

チーターは3分間で
どれくらい走れるのか

ＡNSWER

体力が続けば約4500メートル

だけどチーターはトップスピードでは
12秒しか走れない

チーターの宿命

わずか3秒で時速100キロに到達できる
チーターの驚異の加速力。だが代償も大きい。

3 minutes ✕ 瞬発力

チーターのトップスピードは時速112キロ。トップスピードで疾走するチーターにとっては、3分間は永遠に等しい時間といえる。

チーターはトップスピードに到達すると12秒ほどで身体が停止状態になる。身体が停止すると、その後30分間は休息が必要。

まるでアニメのキャラクターのような特徴を持つチーターだが、その瞬発力と速度は、重力に支配されている地上における、生命の限界点なのかもしれない。

限界の瞬発力の世界から眺めると、3分間が永遠に等しい時間になるのも頷ける。

info スピードだけを追求して進化した チーターの機能美

約800万年前に、ネコ科の動物から枝分かれして、独自の進化を遂げたチーター。ライバル（獲物）であるトムソンガゼルとの戦いの中で、チーターはスピード特化型に進化したと考えられている。地上最速はチーターだが、地上2番目の俊足はトムソンガゼル。

チーターは他の動物と比較すると、身体に対して頭部が非常に小さい。そして他のネコ科動物よりも筋肉量が少なく、柔軟性に長けている。

可動域が広い肩甲骨を駆使してトップスピードのときには1歩で約7.5メートル進む。デコボコの道でもグリップできるように、足の爪は常に出ている。長くて筋肉質の尻尾は、まるでハンドルとブレーキ、アクセルのような役割を果たしている。

尻尾の向きで方向が変わり、減速、加速も尻尾のコントロールで自由自在。

速く走ることのみを追求して進化したチーターだが、地上生物の限界の加速を手に入れるためには、失うモノも多かった。

チーターのライバル（獲物）であるトムソンガゼル

世界最速の身体を手に入れる
ためには犠牲も多い

>>>   <<<

12秒で シャットダウン	骨が 弱すぎる	シンプルに 弱い
トップスピードに到達して12秒ほど経過すると、身体が停止状態になる。その後、約30分間動けなくなるため、その場に座り込んで体力の回復を待つしかない。	スピードに特化するためにチーターの身体は徹底的に軽量化されている。骨も当然のように軽量化されている。だから骨が弱く、骨折のリスクが高いので無理ができない。	チーターの体重は30〜70キロ。同じネコ科のライオンは約200キロ。チーターのパワー不足は明確。当然のように戦闘力は低い。最速だけどケンカは弱い。

そして噛む力も弱い

より多くの酸素を取り込めるようにチーターの鼻腔は大きい。そのため本来「歯」がある場所に「歯」がない。アゴも小さいので噛む力が弱い。獲物を捕獲してもアゴの力が弱く、他の場所に獲物を移動させることができない。その上ケンカも弱いので、せっかく捕獲した獲物を、ハイエナやライオン、ヒョウに横取りされてしまうことが多い。捕獲した獲物の1割は横取りされるという。

参考までに空と海のスピード王を紹介

空のスピード王
ハヤブサ

ハヤブサは降下速度が最速。1秒で**約89メートル**。
3分だと理論上は**約1万6020メートル**まで降下できる。

海のスピード王
バショウカジキ

1秒で**約28メートル**。3分だと**約5040メートル**。

ちなみにカタツムリは  1秒で**約1センチ**。3分だと**約180センチ**。

QUESTION

心臓から送り出された血液は3分間でどれくらい移動するのか

ANSWER

**大動脈の血液は秒速約1メートル
3分間で約180メートル移動している**

血液は約30秒で体内を1周して、再び心臓へと戻る

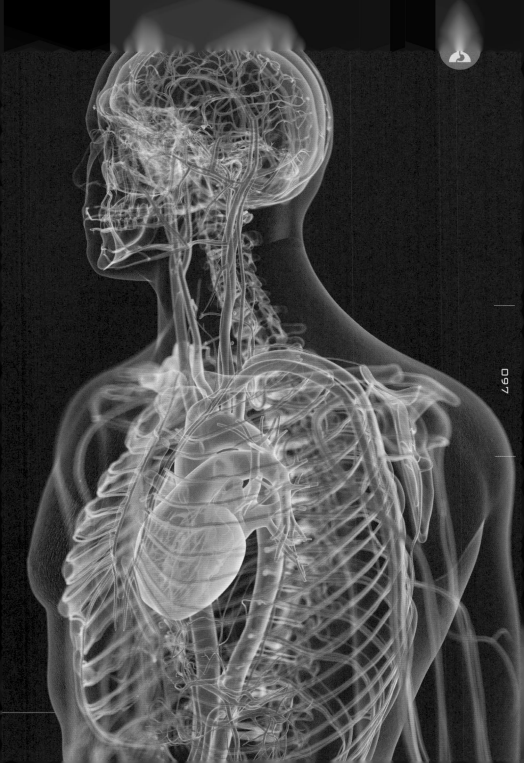

心臓と心拍数

毛細血管まで含めた全身の血管の長さは約10万キロメートル。
おおよそ地球2周半分の長さになる。

3 minutes ✕ 血管

心臓から送り出された血液は、約30秒で体内を巡り再び心臓へと戻る。

体内に膨大なネットワークを形成している血管は、毛細血管まで含めると、全長約10万キロメートル。この長さは地球2周半に相当する。全身の血管の基本細胞（内包細胞）の総面積は約7000平方メートルで、テニスコート約27面分になる。そして、全長約10万キロメートル、総面積約7000平方メートルに及ぶ血管内を突き進む血液の速度は秒速約1メートル。

厳密には血液の速度は血管の種類、血管の位置、身体状況などによって異なるが、血液界で一番の俊足といわれている大動脈内の血液は、1秒間に約1メートルの距離を駆け抜けている。

血管の種類は全部で4タイプ

動脈	静脈	細小血管	毛細血管
心臓から血液を運び出す、いわゆる往路の血管。酸素や栄養素を運び出している。	体内各所から回収した二酸化炭素や不要物を各々の処理器官へ運搬している。いわゆる復路の血管。	毛細血管の少し手前に位置する血管の総称。主に筋肉部分に存在している。	身体の隅々まで張り巡らされている、路地のような血管。血管の細さは髪の毛の約1/20。

この4タイプの血管をすべて繋ぎ合わせると、全長約10万キロメートル。地球2周半分。

info 血液の推進力は心臓の鼓動

秒速1メートルで駆け抜ける血液の推進力は、心臓の鼓動に由来している。心臓が「ドクン」と動くたびに、ポンプのように血液を送り出している。

成人の平均心拍数は3分間で180〜300回。そして3分間で約15リットル（牛乳パック15本分）の血液を心臓から送り出している。「ドクン」という心拍によって、心臓（左心室）から送り出された血液は、大動脈へと流れ込み、約30秒で全身をひと巡りして、下大静脈から再び心臓へ戻る。心臓を出た血液には主に2つのルートがある。1.心臓から肺へ行き、心臓へ戻る「肺循環ルート」。2.心臓から全身を巡り、心臓へ戻る「体循環ルート」。

info　寿命と心拍数

　人間を含めた哺乳類は「ドクン」と脈打たせる鼓動の、一生涯の回数が決まっているといわれている。その回数は10～15億回。

　この回数は、哺乳類の寿命と心拍数の関係からみえてきたものだ。逆にいえば、大方の哺乳類は心臓をこの回数だけ鼓動させた頃に寿命を迎えるともいえる。

　そして一般的に身体が大きい（体重が重い）動物ほど心拍数は少ない。心拍数が少ないため、鼓動数が10～15億回に到達するまでの時間が長く、結果的に長生きになる傾向がある。一方、身体が小さい（体重が軽い）動物ほど、心拍数が多いため、短命であることが多い。ただし人間やコウモリのように、10～15億回の心拍数を超えて長生きする種属も存在している。

動物の体重と心拍数の関係　身体の小さい動物ほど心拍数が多い！

	ハツカネズミ	ネコ	ウマ	ゾウ
体重	平均25グラム	平均3キロ	平均700～1000キロ	平均5トン
心拍数	平均600/分	平均140～220/分	平均40/分	平均30/分
寿命	平均1～2年	平均12～18年	平均25～30年	平均80～100年

info　心拍数10～15億回を超えても、生き続ける人間とコウモリ

　人間の場合、1分間の心拍数を70回で計算すると、30～40歳が平均寿命となる。江戸時代の平均寿命が32～44歳だったことを考えると一致する。

　だが現代の平均寿命である80歳で考えた場合、生涯で約30億回もの鼓動を打ち続けることになる。

　なぜそんなことが可能なのか？　その理由は多岐にわたると考えられているが、中でも医療の進歩、整備された衛生環境、恵まれた栄養状態などが大きな要因といえる。

　またコウモリの中にも、10～15億回の鼓動数を超えても生きる種属が存在する。コウモリの平均寿命は5～10年だが、中には20年以上も生きるコウモリもいる。哺乳類の中で唯一空を飛べるコウモリには、いまだに謎が多く長寿の理由も判明していない。

QUESTION

世界最速の電車は
3分間で
どれくらい進むのか

ANSWER

東京から横浜ぐらいまで

日本の超電導リニアL0系の
最高時速は603キロメートル

「産業革命の仕上げ」とも言われる鉄道の発明。
この世に蒸気機関車が誕生しなければ、
世界経済はこれほど短期間に成長しなかったかもしれない。

3 minutes ✕ 電車

明治維新後、近代国家への生まれ変わりを急ぐ日本にとって、より多くの人や物を、より速く、より遠くまで運ぶ鉄道の整備は急務だった。当時の日本には、鉄道に関する知識や技術が全く無かったため、イギリス人の技術者たちに指揮を執ってもらい、明治維新からわずか4年後の1872年に、新橋～横浜間を開通させた。

それから150年を経た現在に至るまで、鉄道という交通インフラは、日本人の生活をどっしりと支え続け、独自の知識や技術も格段に進化。3分間で30キロも走る世界一速いリニアのデビューが目前に迫り、鉄道大国・日本の新時代の幕開けも近い。

| info | 品川～名古屋間がたった40分！ 日本が誇る世界最速列車 |

世界中で加熱する高速鉄道の開発競争。ひと昔前は日本の新幹線が高速電車の代名詞だったが、フランスのTGVが追い抜いてからは、中国などの躍進も目覚ましい。そんな中、日本が再び首位に返り咲いた。

JR東海がリニア中央新幹線として、2027年から運行予定のL0系は、2015年に実験線で時速603キロという記録を樹立。品川駅～名古屋駅間をわずか40分で結び、最終的に延伸される大阪までは、新幹線のぞみの半分以下である1時間7分まで短縮される予定だ。磁石の力で10センチ浮いて走行する超電導リニアであるため、異次元の速度・静音を実現。レールに触れないため、地震などで脱線することもない。リニア中央新幹線の開業で、移動の常識や距離感の感覚が一変しそうだ。

最高時速ランキング

1位：超電導リニア（日本）　**603**km

2位：中国リニア（中国）　**600**km

3位：TGV POS（フランス）　**574.8**km

4位：上海トランスラピッド（中国）
501km

5位：和諧号（中国）　**487.3**km

6位：海霧（韓国）　**421**km

7位：復興号（中国）　**420**km

8位：フレッチャロッサ1000（イタリア）
394km

※最高時速は試験運転も含めた記録上の最大値

info　電車は最もエコな交通手段

電車の大きな特徴として、自動車に比べるとエネルギー効率が圧倒的に高く、環境負荷が極めて小さいことが挙げられる。

2021年度の日本の二酸化炭素排出量は10億6400万トン。そのうち、運輸部門からの排出量は17.4％の1億8500万トンを占め、内訳は自動車86.8％、航空3.7％、船舶5.5％、そして鉄道4.1％だった。

さらに、人間1人を1キロメートル運ぶ際に排出する二酸化炭素量は、自動車が132グラム、飛行機124グラム、バス90グラム、鉄道25グラムとなっている。この数値を見れば、電車が環境に優しい移動手段であるのは一目瞭然だろう。

また、26両分の貨物列車の輸送量は、10トントラック65台分に相当することからも、電車の輸送効率が非常に高いことが分かる。

運送料当たりの二酸化炭素の排出量 （旅客）

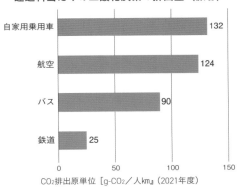

自家用乗用車	132
航空	124
バス	90
鉄道	25

CO_2排出原単位 [g-CO_2／人km] （2021年度）

環境に配慮した新世代の電車とは？

水素ハイブリッド電車

2022年にJR東日本が完成させたのは、二酸化炭素を排出しない水素の電力とバッテリーの電力を主電源とするハイブリッド電車HIBARI。最高時速100キロ、水素の充塡1回で最大140キロの走行が可能とされており、2030年の実用化を目指している。

100%再エネ電車

日本初の取り組みとして、東急電鉄は2022年から全路線で、実質二酸化炭素排出ゼロとなる再生可能エネルギー由来の電力100％で運行している。その結果、約5万6000世帯分の一般家庭の年間排出量と同じだけの二酸化炭素を削減できる予定。

Q UESTION

竹は3分間で
どれくらい
伸びるのか

ANSWER

500円玉の厚みと同じ1.8ミリ

1日で1メートル以上伸びることもある

竹に隠されたミステリー

『古事記』や『竹取物語』にも記されているように、
竹は古来から日本人にとって身近な植物だった。
しかし、その生態はとても不思議で、不明なことが多い。

3 minutes ✕ 竹

日本に生育するタケ亜科（タケ類とササ類）の植物は約130種類、そのうちタケ類は変種や品種なども含めて50種ほどあるとされている。その中でも代表的なのが、マダケ、モウソウチク、ハチクの3種類。それぞれ異なる特徴を持っているため、建築用、食用、細工用など、用途によって使い分けられている。

竹はアジア全域に広く生息しているが、ヨーロッパや北米ではほとんど見られないため、アジアンテイストを演出するのにピッタリ。しかし、その地域でしか生育しないことが多いため、欧米での栽培が難しい。そして、その理由もいまだに不明。

分類の不思議　～存在そのものが謎めいている～

草でも木でもない
竹は、草と樹木の特徴を兼ね備えているため、どちらにも分類できない。専門家の間でも意見が分かれており、結論は出ていない。例外的に「木」として分類されることもあるが、竹は細胞壁成分のリグニンが沈着し、セルロースと結合して起こる化学的な変化現象・木化をしない。

なぜかイネ科
竹は常緑性の多年生植物だが、イネ科タケ亜科に属している。その理由は、両者の花がとても似ているから。とはいえ、茎・枝・葉などの栄養器官は、一般的なイネ科植物とは似ても似つかない特徴を持っている。

笹との違いが不明
実は竹と笹には明確な分類がない。それでも何となく背丈の高いものが竹、低いものが笹と言われることが多い。 また、成長すると皮が落ちて無くなるのが竹、ずっと残ったままなのが笹という分類方法もある。なお、七夕に使う笹は、その年に生まれた若いものが好ましいとされている。七夕行事の発祥は江戸時代の寺子屋。ぐんぐん伸びていく若い笹に、子どもたちの成長への想いを重ねたのだ。

106

≫≫≫　構造の不思議～よく考えるとヘンテコな植物～　≪≪≪

とにかく成長が早い

一般的な植物は根や茎、葉の先端から成長する。そこが「成長点」と呼ばれており、活発に細胞分裂を行って大きく育っていく。竹も他の植物と同じく上に伸びるため、成長点は先端にあるのだが、1本の竹に40～60個はある節の1つ1つに成長点を持っている。つまり、節が60個ある竹の成長点が1日1センチずつ伸びた場合、1日で一気に60センチ成長することになるのだ。

幹にあたる部分が独特

竹で幹にあたる部分のことを「稈（かん）」と呼ぶ。その中は空洞になっており、節の部分で区切られている。稈の中が空洞なのは、成長を早くするためという説の他、中に二酸化炭素を溜めて厳しい寒さに耐えるためという説もある。いずれにしても、空洞になっている理由はハッキリしていない。

茎がタケノコを生む

竹は根ではなく地下茎を持っている。地下茎の節にある芽子から生まれたタケノコは、地表に出ると、皮が自然に1枚ずつ剝がれ落ち、脱皮することで竹になる。多くのタケノコは50～60日かけて上に成長し、それが止まってから地下茎の成長をスタートさせる。地下茎の伸長スピードも凄まじく、1年で8メートル伸びたという記録が残っている。長く伸びた地下茎に栄養を溜め込んだ竹は、春にタケノコを生む。そして、溜め込んだ栄養を吸収したタケノコは、また尋常ではないスピードで竹へと成長していくのだ。

年齢がよく分からない

竹は3か月ぐらいで一気に成長するが、新しい細胞を作り出す形成層がないため、それ以降は伸びることも太くなることもない。もちろん木のような年輪もないため、竹の年齢を正確に知ることは非常に難しい。

いっせいに枯れる

普通の植物は1本ずつ独立しており、葉の光合成によって成長する繋がっている。そのため、1本の竹が病気になると竹林全体が病気になって枯れてしまうのだ。つまり、竹林は群生しているのではなく、ひとつの生き物と考えることもできる。

`info`

花の不思議
～開花がレアすぎる～

竹の花を愛でたことがある人はいるだろうか？　実は竹にも花が咲く。しかし、その周期は、なんと120年ぐらいと推定されている。しかも、一斉に開花した後は、一斉に枯れてしまうため、ほとんど記録が残っておらず、その開花メカニズムは謎だらけ。

1908年前後に開花したハチクは、地上部分の稈はいったん枯死したが、地下茎からタケノコが生まれて再生している。そのため、120年周期の開花だとすれば、全国的な開花ピークは2028年頃の予定。しかし、多少のズレがあるため、すでに開花

が始まっている竹林もある。貴重な120年ぶりの一斉開花、ぜひ目撃してみてほしい。

Q UESTION

地球は3分間で
どれくらい
自転・公転
しているのか

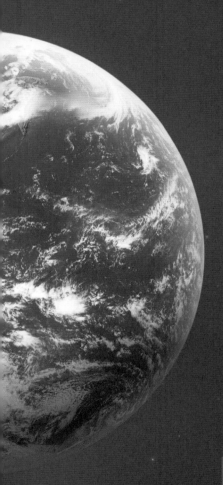

ANSWER

自転は3分で約83.7キロメートル
公転は3分で約5364キロメートル

地球は音速の約1.3倍の速度で自転して、
音速の約88倍の速度で公転している

音速を超える自転・公転の世界

自転速度は赤道上で秒速465メートル。
公転速度は秒速29.8キロメートル。

3 minutes × 地球の自転・公転

地球は3分間で83.7キロメートル自転して、5364キロメートル公転している。この速度は音速よりも速く、弾丸よりも速い。

我々人類は音速の約1.3倍の速度で自転しながら、音速の約88倍の速度で公転している地面の上で、普通に生活を送っている。

地球の自転、公転の速度は現存するあらゆる乗り物よりも速い。そして自転&公転という、2種類の複雑極まり

ない高速運動をしている地球の上で、平然と生活している。

なぜ平気なのか?　それは一定の速度で回転する地球と一緒に、空気も含めた物質が動いているから。

例えるならば、全く音がしない高性能の車に、目隠しで乗車して、一切の衝撃がないキレイな直線道路をハイスピードで走り抜けたとしても、車内では高速で移動している自覚がないのと同様の理屈。

info 地球はなぜ自転しながら公転しているのか?

地球は誕生したときから回転（自転&公転）を続けている。

そして地球が自転を続けているからこそ、昼と夜がある。地球が公転を続けているからこそ、日本には四季がある。

自転とは北極点と南極点を結ぶ軸（地球は公転面に対して約23.4度軸が傾斜している）を基準にして、地球が1日に1回転すること。

公転とは地球が約365日かけて太陽の回りを1周すること。

では、地球はなぜ誕生したときから回転を続けているのか?　その理由は太陽系の誕生（約46億年前）と関わっている。

太陽系ができるとき宇宙空間にはガスやチリが渦を巻いていた。この時のガスやチリ

の回転によって、太陽系ができたと考えられている。その頃の回転運動が現在も作用しているのだ。

宇宙には空気もなければ摩擦もない。そして現在の地球の回転運動を妨げる力も働いていない。そのため太陽系誕生当時の回転運動が、現在まで続いていると考えられている。

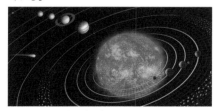

地球だけではなく太陽系の惑星は、自転しながら太陽を中心に公転している。惑星によって自転周期と公転周期は異なる

太陽も自転している

太陽の自転周期は25〜30日

太陽は水素が主成分の恒星で、巨大なガス玉のような存在。太陽系では恒星は太陽しかない。

惑星とは恒星の周囲を回る天体のこと。太陽系だと地球の他に、水星、金星、火星、木星、土星、天王星、海王星が惑星。

惑星には地球や火星のように岩石で構成された天体もあれば、木星や土星のようにガスでできた天体もある。すべての惑星は自転しながら太陽を中心に公転している。そして、その中心にある太陽も自転している。

太陽の自転周期は25〜30日。自転周期にズレがある理由は、太陽の赤道付近と極付近では自転周期が異なるため。太陽は流体（気体）であるため、緯度によって自転速度が異なる。緯度が低い赤道付近では約25日間で自転して（つまり速い）、緯度が高くなる極付近に近づくにつれて自転周期は長くなる（つまり遅い）。

太陽系の惑星の平均自転周期

| 水星 約59日 | 金星 約243日 | 地球 約1日 | 火星 約1日 |
| 木星 約10時間 | 土星 約11時間 | 天王星 約17時間 | 海王星 約16時間 |

太陽系の惑星の平均公転周期

| 水星 約88日 | 金星 約225日 | 地球 約365日 | 火星 約687日 |
| 木星 約12年 | 土星 約29年 | 天王星 約84年 | 海王星 約165年 |

info　自転と公転の周期はどのように決まる？

自転速度は惑星が大きいほど速い傾向がある。そして木星のようなガス惑星は、太陽と同じように赤道付近と極付近では自転速度が異なる。

公転周期は太陽から遠いほど、軌道が大きくなるため時間がかかる。

太陽に近い軌道を公転する惑星は、太陽の重力を強く受けているため、太陽に引き込まれないように速く移動する必要がある。

いずれにしても太陽の回りを公転している惑星はどれも太陽の重力に引き込まれないために、弾丸よりも速い速度で公転している。

112

QUESTION

太陽系は3分間で
どれくらい
公転しているのか

ANSWER

約4万キロメートル
3分間で地球を1周する速度

太陽系の公転速度は時速81万7200キロ
秒速にすると約227キロ

2億年の旅

太陽系は秒速227キロの速度で、
約2億年かけて天の川銀河を1周している。

3 minutes ✕ 太陽系の公転

　地球は3分間で約87.3キロメートルの速度で自転しながら、約5364キロメートルの速度で太陽の周りを公転している。

　さらに太陽系全体が天の川銀河の中を、3分間で約4万キロメートル公転している。

　地球自らの自転と公転、そして太陽系全体での公転。それらのすべてを合計すると、地球は3分間で約4万5444.7キロメートル移動していることになる。

`info`　　太陽系は天の川銀河の一部

　太陽系の外側には無数の恒星が存在している。太陽以外で最も近い恒星は、ケンタウルス座のプロキシマ星で、距離は約4.2光年。

　4.2光年とは、どれくらいの距離なのか？　参考までに太陽系の中で一番外側を公転している海王星から太陽までの距離は約0.000475光年。

　プロキシマ星までは気の遠くなるような距離だが、太陽系が属している天の川銀河の直径は、約10万光年といわれている。

　そして太陽系は、そんな天の川銀河の中を時速81万7200キロの速度で公転している。

　天の川銀河は恒星や星雲が円盤状に集まった天体。天の川銀河の中には数千億個の恒星があると推測されている。

　天の川銀河の規模で考えると、太陽は数千億分の1個の恒星ということになる。

太陽の次に近い恒星「プロキシマ星」があるケンタウルス座

info　太陽系は約2億年かけて天の川銀河を公転している

　太陽が率いている太陽系チームは、天の川銀河の中を約2億年かけて公転している。太陽系の公転速度は秒速約227キロで、1秒で東京〜長野間を移動できる速度。スケールはまさに規格外だ。

　そして天の川銀河の中心には、超巨大なブラックホールがあると考えられている。巨大ブラックホールが天の川銀河を束ねているため、天の川銀河に属する天体はそのブラックホールを中心に公転している。我々の太陽系チームも、天の川銀河の中央にあるブラックホールを中心に公転している。

　まるで太陽系の惑星たちが太陽を中心に公転しているように。

ブラックホールは現代科学を結集しても、いまだにわからないことが多い

info　宇宙には天の川銀河以外の銀河が無数に存在している

　果てしなく広大な天の川銀河だが、宇宙には天の川銀河のような「銀河系」が2兆個以上は存在すると考えられている。

　有名な銀河系としては「アンドロメダ銀河」「子持ち銀河（M51）」「大マゼラン銀河」などが知られている。

宇宙には銀河系が2兆個以上存在すると考えられている

info　天の川銀河はラニアケア超銀河団に属している

　天の川銀河は、実は「おとめ座超銀河団」と呼ばれる銀河の集合体に属していて、さらに「おとめ座超銀河団」は「ラニアケア超銀河団」と呼ばれる巨大な銀河の集合体に属している。

　ラニアケア超銀河団の直径は約5億光年。その中には10万個以上の銀河系が含まれていると考えられている。

宇宙全体からみたら太陽系はとても小さな存在

QUESTION

光は3分間で
どれくらい進むのか

ANSWER

1秒間で地球7周半

1分間で地球450周

3分間で地球1350周

秒速29万9792.458キロメートルで疾走する光は
謎に満ちた粒子であり波動である

光にも速度があるのでは？
人類で最初にその考えに至ったのは
ガリレオ・ガリレイだといわれている。

3 minutes ✕ 光速の世界

3分間で地球を1350周するということは、光が移動する距離は約5400万キロメートル（地球1周約4万キロ）ということになる。

ちなみに、地球と火星が最も近づいたときの距離が約5576万キロメートルで、地球と金星が最も近づいたときの距離が約4200万キロメートル。

3分間で金星以上～火星未満の距離を突っ走ることができる光の正体は、電磁波の一種にして、粒子、つまりは物質としての性質も合わせ持つ「波」という、なんとも不思議な存在。波でもあり粒子でもある。そして森羅万象の中で最速を誇る光の周辺は、理屈では理解できない不思議で溢れている。

波であり粒子である。物質であり物質でない。不思議な存在の「光」は、いつの時代でも科学者たちにとって、最高の研究対象だった

info 光を光の速度で追いかけたらどうなる？

時速60キロで走行する車の真横を、時速60キロで並走して、お互いの車を見ると、両者の車は止まって見える。

だが光の場合は、たとえ光速で移動する乗り物（存在しないが）に乗車して、横を通過する光を見たとしても、光は光の速度で走り抜けている。車のときのように止まっては見えない。

そして地上から、そのときの両方の光を見た場合、両方とも同じ光速で突き進んでいる。どちらか一方だけが速いということはない。

これは「光速度不変の原理」と呼ばれる、特殊相対性理論の中核を成す原理。

アルベルト・アインシュタイン（1879～1955年）。ドイツ生まれの理論物理学者。特殊相対性理論、一般相対性理論を提唱。1921年光量子仮説に基づく光電効果の理論的解明でノーベル物理学賞を受賞した

info 光速に近づくほど時間の流れはゆっくりになる

　仮に、限りなく光速に近い速度で飛行できる宇宙船があったとして、双子の兄弟の兄が、1年間ほど宇宙船で旅をしたとする。1年後、兄が地球に戻ったときには、地球ではすでに3年の年月が流れていた。結果的に双子の弟が兄よりも年上になっていた。これは「双子のパラドックス」と呼ばれる有名な話。

　「双子のパラドックス」の実証はされていないが、粒子の寿命の観測によって、光速に近づくほどに時間の流れが遅くなることは、実証されている。

時間の流れが変わる。光速の世界ではそんな不思議なことが現実に起きている

info 1メートルの長さを光速で測定

　かつては、メートル原器と呼ばれる定規を基準にして「1メートル」の長さが定められていたが、技術が進歩した現代は、精密性を追求して、光の速度を利用して1メートルの長さを定めている。

　具体的には光が真空中を2億9979万2458分の1秒間に進む距離が、1メートルとして定められている。

info 光速に取り憑かれた科学者たち

　光にも速度がある！　最初にそのように考えた人物はガリレオ・ガリレイだといわれている。ガリレオの著書『新科学対話（1638年）』の中には、ガリレオが考案した光速の測定方法が記されているが、残念ながら当時の技術力では、光速があまりにも速すぎて測定はできなかった。

　そして今から約350年前、人類で最初に光速の測定に成功したのは、デンマークの天文学者オーレ・レーマー（1644〜1710年）。レーマーは1676年、木星の衛星イオが、木星に隠れる周期に遅れがあることを発見。そのズレから光速を導き出した。

　当時レーマーが測定した光速は、現在の光速値と比較すると、約30%のズレがあっ

たが、人類で最初に光速の測定に成功した学者である。

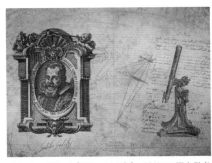

ガリレオ・ガリレイ（1564〜1642年）。イタリアの天文学者、数学者。ガリレオ式望遠鏡を駆使して、木星の衛星や、月のクレーター、太陽の黒点を発見。人類で最初に光にも速度があることに気が付いた

音は3分間で
どこまで届くのか

NSWER

約60キロメートル
東京〜成田空港くらい

1気圧、15℃の空気中を秒速約340メートル、
時速約1224キロで疾走している

音の性質

**空気中を突き進む「音」は
温度によって速度が変化する。**

3 minutes ✕ 音速

　3分間で東京から成田空港まで突き進める音のスピードは、温度によって変わる。

　東京から成田空港までの距離は約60キロメートル。この距離を音が約3分間で到達する条件は、1気圧+気温15℃のとき。

　空気中を疾走する音の速度は気圧と気温によって変化する。

　ちなみに音速を表す速さの単位に「マッハ」がある。マッハ1と音速は同義であり、マッハ2は音速の2倍を表す。だが音速は気圧と気温によって変化するため、国際標準大気を想定したマッハの具体的な速度は、秒速340メートル、時速1224キロメートルになる。

info　音速と伝達物質

　空気中と水中では、音速は4.4倍ほど水中の方が速い。

　空気、水、鉄の中を音が通過した場合、音が最も速く伝達されるのは鉄で、その速度は秒速約5290メートル。2番目に速いのが水中で、秒速約1480メートル。そして一番遅いのが空気。音は硬いモノほど速く伝達される。

鉄の中を音が通過する速度は、空気中の約15.5倍。

遅い ‖‖ (気体) ‖‖‖‖ (液体) ‖‖‖ 固体 ➡ 速い

info　音速と気温

　空気中を進む音は気温によって速度が変化する。気温が1℃上がるごとに音速は秒速約0.6メートル速くなる。空気中では、気温が高いほど音は速く進む。

音速が速くなる

気温
低い → 気温
高い

遅い　　　　　速い

気温が高いほど、音は速く伝達される

info ドップラー効果

　遠くから聞こえていた救急車のサイレンが、目の前を通過した瞬間に、低くなったように感じられた。

　そんな経験をしたことがある人は多いと思われる。なぜ音質が変わるのか？

　音質の高低は、空気中に音が伝達される時に、揺れる「波」の回数で決まる。具体的には、揺れる回数が多ければ音は高くなり、少なければ音は低くなる。

　救急車のサイレンが近づいて来ると、空気の波が押されて揺れる回数が増える。救急車が目の前を通過したら、今度は空気の波が遠ざかり、揺れる回数が減少する。救急車が目の前を通過した瞬間から、サイレンの音が低く感じられるのは、それが原因なのだ。

救急車のサイレンが目の前を通過した瞬間から、低く聞こえる理由とは？

info 宇宙では音が聞こえない

　真空の宇宙にも、わずかながら水素やヘリウムなどの気体が存在する。だが、その濃度はあまりにも低く、宇宙で音の振動波が伝達されることはない。すなわち、音の波が伝達されない宇宙は無音である。

空気がない宇宙は無音の世界

info 聞き取れる音域

　一般的に人間が聞き取れる音は20Hz〜2万Hzだといわれている。人間が聞き取れない20Hz以下の低音は超低周波と呼ばれている。同じく人間が聞き取れない2万Hz以上の高音は超音波と呼ばれている。

　超音波は人間には聞き取れないが、コウモリは超音波を周囲に向けて発して、その反射音で周囲の状況を把握している。

　超音波を駆使して、飛んでいる微小生物を高速かつ高精度で捕獲できるコウモリは、人間の視覚とは別の感覚で、暗闇の中でも生き抜いている。

ここまで我々の身の回りで起きている、ありとあらゆる事象を
3分間という時間で切り取って、
様々な角度から紹介してきたが、いかがだっただろうか？

人間の心臓が牛乳パック15本分の血液を全身に送り出し、
その血液が血管内を180メートル進み、
小腸の細胞が3億個も生まれ変わるのが3分間。

地球が音速の88倍の速度で
東京からアフガニスタンまでと同じ距離を公転し、
太陽系が天の川銀河を地球1周できる速度で公転しているのも3分間。

そして、この地球上で飢えのために50人が亡くなる一方で、
全食糧の40パーセントに相当する
1万3000トンの食べ物が処分されるのも、また3分間なのだ。

実は、我々が持つ時間は2種類ある。

1つは客観的時間。
これは時計で計れる同じ間隔で区切られた時間のことで、
地球に生きる全人類が共有しているものだ。
客観的時間は誰にとっても同じで、3分間は必ず180秒になる。
本書における3分間は、この客観的時間を指している。

もう1つは主観的時間。

こちらは時計で計ることができず、人それぞれ違う感覚を持っている。

楽しい時や忙しい時には時間が短く、

しんどい時や退屈な時には時間が長く感じた経験はないだろうか？

また、主観的時間に関しては、

そのときの年齢の逆数に比例するというJane tの法則が知られている。

学生時代は夏休みの1か月間が永遠のように長く感じた人も、

仕事リタイア後の1か月は、一瞬で過ぎ去るように感じたりするのだ。

つまり、主観的時間では、3分間は必ずしも180秒ではなく、

30秒にも3時間にもなるわけで、客観的時間と違って、

人それぞれ異なった区切られ方をした時間感覚となる。

自分の人生に残された時間は、

客観的にも主観的にも、確実に減ってゆく。

皆さんは、残された時間をどのように使うだろうか？

本書で紹介した通り、

この世では想像を絶するほどの事象が、3分間で巻き起こっている。

自分の目で見えなくても、自分の耳で聞こえなくても、

ぜひ本書を片手に、ありったけの想像力を働かせてみてほしい。

皆さんの3分間という時間の感覚や意識に対して、

少しでも何らかのお手伝いができたとしたら、とても嬉しく思う。

［ 主 な 参 考 文 献 ］

▶国立天文台「理科年表 2023」

▶IDC「Global DataSphere Forecast Shows Continued Steady Growth in the Creation and Consumption of Data」[2020年]

▶IEA「World Energy Outlook 2020」

▶WWF×Tesco「Driven to Waste」[2021年]

▶unicef×FAO×IFAD×国連WFP×WHO「世界の食料安全保障と栄養の現状 2022」

▶国土交通省「日本の水資源」[2003]

▶フランクリンジャパン「雷のエネルギー」[2022年]

▶日本雷保護システム工業会「雷についての"お話"」

▶UNFPA「世界人口白書2023」

▶村上和雄『奇跡を呼ぶ100万回の祈り』（ソフトバンククリエイティブ）[2011年]

▶林野庁「世界森林資源評価（FRA）2020 メインレポート 概要」

▶世界ラーメン協会「総需要一覧表」

▶日本呼吸器学会「肺の寿命の延ばしかた」

▶IPCC「第6次報告書」[2021年]

▶JAXA有人宇宙技術部門「どうしてISS内では、無重力になるのでしょうか」

▶日本馬事協会「馬のいろいろパート1 馬のからだ」

▶国土交通省「運輸部門における二酸化炭素排出量」[2023年]

▶natureダイジェスト「銀河の巨大な集合体と「バリオン」のある場所」

Exploring Science Education
with Beautiful Photograph

監修者

大﨑 章弘（Osaki Akihiro）

1976年高知県出身。お茶の水女子大学サイエンス＆エデュケーション研究所特任講師。早稲田大学大学院理工学研究科博士後期課程満期退学後、同大学助手として研究・教育活動に従事。2009年から2014年任期満了まで日本科学未来館科学コミュニケーターとして展示やイベントの企画開発などを担当。2015年5月から国立情報学研究所特任研究員（非常勤）を経て2016年4月より現職。専門は科学コミュニケーション、ヒューマンインタフェース。近年は自治体や学校現場と連携し、科学教育・理科教育の教材を研究。また科学書籍監修やワークショップの企画実践など、先端科学技術と社会をつなぐ活動も行っている。

写真提供

アフロ（Alamy、イメージマート、Blue Planet Archive、首藤光一、Biosphoto、Danita Delimon、ZUMA Press、Minden Pictures、岡田光司、坂本照、Science Photo Library、Beijing View Stock Photo、川北茂貴、片岡巌、髙口裕次郎、ロイター、AFLO）

取材協力

鈴茂器工株式会社

たった3分間のすごい世界
美しい写真でたどる科学の教養

2023年9月1日　初版第1刷発行

監修者	大﨑 章弘
発行者	永松 武志
編　者	オフィス・ジータ
発行所	えほんの杜
	〒112-0013　東京都文京区音羽2-4-2
	TEL. 03-6690-1796　FAX. 03-6675-2454
	URL. https://ehonnomori.co.jp
印刷・製本	株式会社シナノ パブリッシング プレス

本文デザイン	佐藤 ちひろ・茂呂田 剛・畑山 栄美子（有限会社エムアンドケイ）
企画編集	立川 宏・藤井 千賀子（オフィス・ジータ）
校閲	西進社
販売促進	江口 武

ISBN 978-4-904188-73-6
Printed in Japan